Secrets etc...

Yannick Noah

SECRETS etc...

Avec la collaboration de Dominique Bonnot

Préface de Daniel Herrero

PLON

Cahiers de photos : Christophe Cheung.
Illustrations : CharlElie Couture.
Dessins de yoga : Isabelle Noah.

© Plon, 1997.
ISBN 2-259-18654-8

A Joakim,
Yelena,
Elyjah.

Préface

J'aime depuis toujours l'olive et son huile, l'amande même amère, les moules y compris marinières ; j'adore aussi je l'avoue les seins en poire, en d'autres termes la chose ovale me séduit, la balle me ravit.

J'ignore si Yannick aime les haltères à boules, les oranges douces, le ventre des femmes enceintes ou les planètes du Petit Prince. Les formes rondes en quelque sorte !

Mais les petites balles saupoudrées de soleil, rasées de près et fermement gonflées furent probablement ses compagnes les plus fidèles, les plus accaparantes.

Enfant, à peine éveillé dans le couffin à l'ombre d'un manguier, il envie les courses un peu folles d'un père qui taquine une autre balle ronde. À son tour, à l'heure de la grande école, il l'apprivoisera sous le regard terne des maîtresses vieillottes qui ne peuvent comprendre cette débauche d'amour pour une balle usée.

Mesdames... savez-vous que là-bas au bout de la course, de l'envol, il y a l'Autre, l'Ami ou le Frère, le Partenaire ou le Concurrent ?

Pour tous, ensemble, une aventure, des rêves à partager. Des œuvres à créer.

L'école pour laquelle nos aïeux pauvres et malandrins

ont laissé leurs vies sur les barricades, dispensa certes cours sérieux et leçons rigoureuses.

Mais l'école enferme parfois le grand Vivant, le doux furieux ; le guerrier pacifique... Il fallut à Yannick d'autres espaces, d'autres débats, la multitude de rencontres, la diversité des expériences.

Les bons profs, le savez-vous Mesdames et Messieurs, ne sont pas toujours derrière les pupitres.

Yannick n'aime pas ce qui étrique, serre, opprime, dessèche ; il nous livre en cadeau, humble et sincère, ses grands matches vécus de l'Intérieur : Ceux qui transforment les douleurs en victoires, les ulcères en source de vie, l'enfant malade en humain amoureux.

Définis tes rêves, dit-il, avance, bouge, mets-toi en mouvement. Pour les atteindre. Et si tu ne peux pas approche-toi au bord des rêves. Conquiers ta propre estime dans l'action !

Yannick a mis à chaque instant de son trajet une dimension nouvelle à sa vie d'Homme.

Il nous offre, cueilli à point, le fruit mûri de son expérience.

À ses côtés, on mange plutôt bien, on chante, on respire beaucoup d'air frais... parfois la tête en bas et les jambes croisées. Toujours en confiance, en liberté.

Collègue des balles rondes ou ovales, de la piste ou des étoiles, de l'hémicycle ou des zones interdites, il y a des initiations qu'on ne refuse pas :

Viens, plonge dans ce bel ouvrage où se partage le bonheur.

Daniel HERRERO.

Introduction

1er mars 1996.

Hier, j'ai relu pour la quatrième fois mon carnet de route, mon livre de chevet, mon indispensable méthode : *The Inner Athlete* de Dan Millman.

Elyjah, mon troisième enfant, vient de voir le jour. Je suis à l'Hôpital américain, au pied du lit de Heather qui « récupère ». Mon regard tombe sur un vieil article me concernant et, une fois de plus, je ressens ce décalage entre « lui », le Noah des magazines, et « moi », ce mec de trente-six balais qui contemple son bonheur. J'ai pris un cahier et un crayon, et j'ai écrit toute la nuit, des pages et des pages sans m'arrêter. Des plus fabuleuses aux plus pitoyables expériences de ma vie, de mes illusions perdues aux bonheurs les plus rares, j'ai tout noté. Ce sont mes « leçons de vie », mes « trésors de guerre ». Presque de quoi faire un livre, *mon* livre...

1

Whitney

> Puis . je ne m'entraîne plus,
> complètement à côté de mes pompes,
> la boule dans le ventre
> Tout le monde se fout de ma
> gueule.

On est en 1983 et depuis plusieurs mois j'habite un hôtel à New York. Je viens de perdre en quart de finale de Flushing Meadow contre Jimmy Arias*[1] et j'ai un gros blues. En fait, je ne me suis toujours pas remis de ma victoire de Roland-Garros. J'ai tellement besoin de vrai amour ! Le téléphone sonne dans ma chambre. Voix de femme.

— Yannick, vous ne me connaissez pas, mais votre défaite m'a fait beaucoup de peine, vous devez être triste.

— Oui, je suis un peu triste, en effet.

— Je voudrais vous rencontrer, puis-je monter ?

* Un index des personnalités citées se trouve p. 241.

— Écoutez, non, c'est très gentil, mais je n'ouvre pas ma porte comme ça. Excusez-moi.

Elle ne semble pas décidée à insister, elle raccroche et déjà je pense aux copains que je dois retrouver le soir au restaurant. Le téléphone sonne de nouveau. C'est le portier de l'hôtel.

— Monsieur Noah, j'ai entendu ce que la jeune femme qui vient de vous appeler vous a dit, j'ai compris à son attitude que vous l'aviez découragée, je pense que vous n'auriez pas agi ainsi si vous l'aviez vue, c'est d'ailleurs pourquoi je me permets de vous appeler.

— Que voulez-vous dire ?

— Que je ne me serais jamais permis de vous déranger si... si...

— Si quoi ?

— Si elle n'était pas la plus belle fille que j'aie jamais vue de ma vie !

— ... ?

Et, bien sûr, je commence à fantasmer. Une belle inconnue, le hasard d'une rencontre, c'est déjà un coup de foudre. Qui est-elle, comment est-elle, d'où sort-elle, pourquoi moi ? Etc.

Le lendemain le téléphone ressonne.

— Bonjour, c'est Whitney.

— Ah, Whitney, bonsoir, comment vas-tu ? Je suis si content de t'avoir au téléphone. Accepterais-tu de venir dîner avec quelques amis, ce soir ?

— Non, je préfère les ambiances plus intimes... Rendez-vous à 22 heures dans le hall de l'hôtel.

— Comment je te reconnaîtrai ?

— Ne t'inquiète pas, tu ne pourras pas me rater...

Je me précipite au restau où je suis attendu. Je me débrouille pour faire accélérer le mouvement, je suis hyper-fébrile, mes copains ne comprennent rien, et comme à 22 heures personne ne s'est encore décidé à passer la commande, je plante tout le monde et je rentre à l'hôtel. J'ai un quart d'heure de retard. J'attends. Et la pression monte. J'ai de plus en plus envie de la voir, de lui parler, de la connaître. L'histoire déjà me mène par le bout du nez.

Au bout d'une heure, n'y tenant plus, j'appelle le numéro qu'elle m'avait laissé et, rassuré, j'entends sa voix à l'autre bout du fil. Je suis heureux comme un naufragé qui rencontrerait une sirène après des semaines et des semaines de solitude.

— Mais qu'est-ce que tu fais, je t'attends !

— Moi aussi, je t'ai attendu, et ce n'est pas dans mes habitudes. J'ai horreur de ça. Généralement, c'est moi qui fais attendre les hommes, pas l'inverse !

— Viens, je t'en prie, pardonne-moi, rejoins-moi !

— Pas question, je ne peux pas, mon père...

Et elle commence à me raconter sa vie de jeune fille riche, élevée sévèrement par un père capricieux, et imprévisible, etc. Bref. Mais, s'il nous est matériellement impossible de nous rencontrer, nous commençons à établir au téléphone une relation tour à tour tendre et torride, très intime. Et je me mets à lui raconter... tout, de A à Z ! Toute ma vie. Toutes mes espérances, toutes mes déceptions, Roland-Garros, la victoire, et puis le trou noir qui suivit, les raisons de mon exil à New York, le milieu, l'argent...

Petit à petit, je deviens complètement dépendant d'elle, surtout de nos conversations téléphoniques. Je suis en manque d'amour et elle est la seule personne au monde qui le comprenne. Un soir, je suis chez moi à Nainville, des potes passent pour aller dîner, je suis en ligne avec elle. Ils attendent une heure, puis deux, s'impatientent, vont dîner, reviennent : je suis toujours au téléphone ! J'y resterai toute la nuit, nageant dans ce bonheur si romanesque. Je regarde d'un air détaché les misérables petites vies de mes copains, je me sens au-dessus de tout, je plane. Je suis amoureux d'une fille dont je n'ai jamais vu le visage, mais dont la voix est devenue mon unique source d'énergie. Quelques bribes : « Je t'aime, c'est fabuleux d'avoir ces sentiments, on ne se connaît pas et on est tout l'un pour l'autre. » Elle incarne l'amour parfait, insoumis aux lois de la beauté même si, bien sûr, je l'imagine très belle. Sans cette voix je ne vis plus. Mon programme m'accapare et je ne peux pas envisager de la retrouver avant des semaines, mais je tiens le choc à grand renfort de dollars. Partout où je passe je laisse jusqu'à vingt mille francs de notes de téléphone. Je ne m'intéresse plus à rien, ni à personne d'autre.

C'est la demi-finale de la Coupe Davis, on joue l'Australie, mais je n'en ai rien à battre. Avec le décalage, les seuls moments où je peux parler à Whitney sont précisément pendant les entraînements. Je ne m'entraîne plus, complètement à côté de mes pompes, la boule dans le ventre. Tout le monde se fout de ma gueule :

— Mais cette fille, ça peut être n'importe qui, tu es barjo !

— Vous ne comprenez rien, vivez donc vos petites mesquineries et laissez-moi avec mon grand amour...

Je ne pense plus qu'à organiser notre première rencontre, mais c'est bête, il y a toujours un contretemps mais, quand je commence à douter, Whitney se fait si douce que je m'en veux de m'être inquiété. Je suis si heureux d'avoir trouvé l'âme sœur ! N'est-ce pas le principal ? Et puis elle connaît tous les endroits où je me rends. Après notre défaite en Australie, je dois aller à Hong Kong, elle me fait changer de réservation, m'envoie au Peninsula Hotel. Quand j'entre dans la chambre, les fleurs ont envahi la pièce, sur le lit un mot : « Mon amour, pour toujours à la vie, à la mort, Whitney. » Je suis sur une autre planète, je ne sais pas ce qui m'arrive. Partout, c'est la même délicatesse qui jalonne mes voyages. Mon avion se pose quelque part, une hôtesse m'attend sur la passerelle avec un mot : « Jamais plus sans toi, mon amour. Whitney. »

Je lui envoie une bague en diamant et m'empresse de lui faire expédier une voiture française. Rien ne sera jamais trop beau pour elle. Je ne regarde plus une fille, je ne pense plus qu'à *elle*.

De temps en temps, je reçois des coups de téléphone qui me font penser à elle : le directeur d'un magazine, *Vogue, People*..., me demande l'autorisation de faire des photos de *nous*, ma nouvelle fiancée Whitney et moi sur une plage... Je ne dis pas non. Tout ce qui peut la matérialiser me rassure et me laisse l'espoir de la serrer un jour dans mes bras.

Enfin, j'arrive au tournoi de Bâle où je dois rencontrer Pecci* au premier tour. Et je croise Vitas Gerulaitis* dont Whitney, *ma* Whitney m'a parlé. Elle l'aurait rencontré dans une soirée.

— Yan, tu n'as pas l'air bien...

— Non, c'est vrai, il m'arrive un truc incroyable, je suis amoureux d'une fille que je n'ai jamais vue, et...

— Ah oui, Whitney ?

— Tu la connais ? Parle-moi d'elle.

— Joue d'abord ton match, je t'en parlerai ce soir..., me répond Vitas, l'air gêné.

— Non, sois sympa, si tu sais quelque chose, dis-le-moi tout de suite !

— Joue d'abord, on verra tout à l'heure.

Évidemment, cinquante minutes plus tard, j'étais au bar, battu, rhabillé, prêt à entendre le pire. Et de ce point de vue, je ne fus pas déçu !

— Vitas, dis-moi, comment elle est ?

— Elle est...

— Je t'en prie, ne me cache rien.

— Eh bien, elle m'a harponné comme toi, j'ai marché un moment et puis je me suis méfié, j'ai engagé un détective privé qui l'a démasquée. C'est une femme d'au moins deux cent cinquante kilos, standardiste (ce qui explique pourquoi elle pouvait elle aussi passer des heures au téléphone à ses frais), dont tu n'es pas la première victime. Son numéro est bien rodé, tous ses « amants » (acteurs américains dont quelques uns sont allés jusqu'aux tribunaux, sans succès car les victimes étaient consentantes) lui envoient des cadeaux, de l'argent, sans avoir vu son visage...

La bague en diamant ! Heureusement, je n'avais pas fini les formalités pour l'envoi de la voiture ! D'une seconde à l'autre, je suis devenu zombi, je me suis retiré des tournois suivants, je ne fonctionnais plus. Je ne croyais plus en rien, mon amour dans le caniveau.

Le cœur en vrille, je décide de composer une dernière fois les chiffres du numéro de téléphone de la femme de ma vie.

— Allô, Whitney ?

— Yan ! Comment vas-tu ?

— Pas super, tu vois, je sais qui tu es.

Elle s'est mise à hurler et j'ai raccroché. Est-ce que j'ai déjà eu aussi mal de ma vie ? Je ne sais pas, je ne sais plus. Sans doute pas. Ce jour-là, j'ai vraiment cru que le monde était pourri.

Peu de temps après, ma peine s'est transformée en un véritable cauchemar, celui de voir fleurir à l'étalage de la librairie du coin de la rue un best-seller signé Whitney : *Les Dessous du circuit*, ou quelque chose d'approchant. Car dans ma quête d'absolu, je n'avais rien caché à Whitney de ce qui faisait ma vie. J'étais allé très loin dans la confidence, un peu au-delà de ma stricte intimité.

2

Arthur

> Rien dans les lois de la nature n'a jamais laissé supposer que la vie soit facile. Le croire ou même seulement l'espérer ne conduit qu'à la déception, à l'abattement et pour certains à la folie

Ce matin-là, quand j'ai supplié mon père de me conduire à l'aéroport de Yaoundé pour lui dire au revoir une dernière fois, j'ignorais la place qu'Arthur Ashe* prendrait dans ma vie. En l'espace d'une journée il était devenu mon héros, mais je n'imaginais pas, au moment où il me donnait sa raquette, son poster dédicacé, et promettait que nous nous reverrions, à quel point cette rencontre serait importante pour moi.

Je vis au Cameroun, dans un pays où il y a peut-être quinze courts de tennis à tout casser. Il est Américain, professionnel, on échange des balles, il me fera venir en France. Plus tard, on disputera Wimbledon ensemble en double. Comme lui, je deviendrais capitaine de Coupe

Davis après avoir été joueur et, comme lui, j'éprouverais à mon tour le besoin d'aider les plus démunis. Nos destins comportent tant de similitudes. Il était mon héros.

Et pourtant je n'ai jamais cherché ni à lui ressembler, ni à lui rendre hommage par mes actions. Il m'a montré une direction, il m'a encouragé à être simplement moi-même, et le fait d'être moi-même m'a conduit sur ses pas. Comme si nos vies s'étaient dédoublées. Trajectoires uniques et similaires qui à de trop rares occasions se sont croisées.

En Arthur, j'ai toujours admiré l'être humain. Encore plus que le champion. J'avais envie de lui ressembler, d'imiter son attitude. Il s'occupait des plus pauvres, œuvrait pour les minorités. Contrairement à moi, il croyait à l'action politique, et il s'est battu aussi sur ce terrain-là. J'aimais cette voix qui forçait le respect et que tout le monde écoutait parce qu'elle exprimait la générosité, le bon sens et l'humanité.

Je m'en suis peut-être inconsciemment inspiré, mais, même si nous ne nous étions pas connus, je crois que de toute façon nous aurions marché dans le même sens. Je suis devenu comme lui champion de tennis. Un champion différent parce que Noir. Ma pensée a suivi (à peu près) le même cheminement que la sienne : pour arriver au sommet, nous avions laissé des « frères » derrière nous. Une fois en haut, nous avons affronté la même question : que faire de cette gloire ? Alors nous sommes redescendus parmi les gens « normaux » et nous avons décidé de nous servir de notre pouvoir pour aider les autres.

L'idée que je cherche à jouer dans les cités le rôle qu'Arthur a joué pour moi au Cameroun me paraît bien *ordinaire*. Car Arthur est *en* moi. J'ai surfé sur sa vague. À présent, il est mort, et moi je continue. C'est quelque chose de tout à fait naturel. Je suis là où je dois être. À ma place. Pas à la sienne. Le plus dur, c'est de trouver sa place. Une fois que vous l'avez trouvée, tout va bien.

Mais avant, il faut traverser un certain nombre d'épreuves.

Mais si je ne peux imaginer ma carrière sans l'intervention d'Arthur, je ne peux pas non plus oublier chez l'enfant que j'étais ce besoin impérieux d'exprimer ce qui était en moi.

Une vocation vraie naît d'un manque ressenti confusément dans la petite enfance. Une vocation, c'est le besoin de combler un vide affectif. Le manque est la graine et l'enfance est la terre. On a hâte de voir l'arbre pousser et d'en cueillir les fruits. Chaque jour, on l'arrose, on en prend soin, sans se rendre compte que c'est ce travail minutieux qui fait de vous un bon jardinier, pas la forme de l'arbre, ni sa couleur, ni même le goût de ses fruits. Quand on est gosse, on ne mesure pas ses manques. Ce n'est que dix, quinze ans plus tard qu'on les découvre quand, revenant sur soi-même, on commence à s'interroger. Un jour, je me suis demandé : « Mais, en fait, pourquoi est-ce que j'ai tant voulu être un champion ? »

À un môme, tout ce qui l'entoure lui semble normal. Des parents qui s'engueulent, des sentiments inconnus, des situations perturbantes, tout cela fait partie de votre vie et le jeu consiste à trouver des compensations avant que le malaise ne se déclare et bloque votre épanouissement. Un instinct de survie vous pousse à mettre en route le processus qui fait « oublier » les carences dont vous ne voulez pas souffrir. Vous ouvrez des tiroirs, vous y enfournez tout ce qui vous dérange. Vous fermez à clé. Et vous jetez la clé.

De zéro à onze ans, pour peu que vous ayez à manger, que vous soyez installé à peu près confortablement chez vous, que votre père et votre mère soient vivants, plus ou moins proches de vous, le manque affectif est quasi impalpable. Ce n'est que lorsque les serrures des tiroirs menacent de céder, qu'on peut, si on en a le courage, revenir en arrière et reprendre l'histoire là où on s'est laissé aller à trahir sa propre authenticité.

Jusqu'à l'âge de quatorze ans, j'ai dominé avec succès ce manque, croyant même que c'était une force. Un manque affectif peut faire des ravages chez un jeune, alors que bien utilisé, positivé, il fait fonction de moteur et même de turbo. On peut souvent en voir la trace chez les génies et les grands artistes.

Puis vient le jour où, brutalement privé de son mode de fonctionnement ordinaire — et la carrière sportive est toujours terriblement limitée dans le temps —, on se retrouve seul quand ressurgit le manque. C'est la fin des illusions. Le début d'une lente et laborieuse reconversion. Reconstruction ? Ou autodestruction ?

Les gens parlaient souvent de mes « qualités » de battant. Évoquaient ma hargne, ma formidable volonté... La vérité c'est que je m'efforçais de me cacher mes blessures affectives. Ma rage de vaincre, c'était ma rage d'oublier. Ce n'est que bien plus tard que j'ai compris que j'avais davantage besoin de régler des comptes que de gagner des matches de tennis. Je n'avais jamais su l'exprimer. J'imagine que la plupart des champions ont connu un cheminement comparable au mien.

C'est à onze ans que j'ai remporté la première épreuve de ma carrière, celle qui m'a permis de mesurer l'étendue de cette volonté qui me distinguait si nettement des autres : quand j'ai quitté l'Afrique et ma famille pour le lycée tennis-études de Nice.

Premières violences au cœur et à l'âme, premières vraies brutalités de la vie. Premiers directs au foie. Identifiables ceux-là, donc plus ou moins maîtrisables. Deux mois difficiles, et puis après, une manière de s'installer dans la durée, d'accepter une dose supportable de souffrance. Chaque jour. Comme une routine de l'effort qui s'installe. Coincé dans cette pension, coupé de mes racines, j'ai paré au plus pressé. J'ai fermé d'autres fenêtres, et encore d'autres tiroirs, jeté des voiles sur des pans entiers de ma vie pour me renforcer dans le combat quotidien, sans pouvoir imaginer qu'un jour viendrait où j'éprouverais le besoin de les rouvrir un à un, et de découvrir ce qu'ils contenaient.

Aujourd'hui, il y a peut-être encore en moi quelques tiroirs clos, quelques fenêtres coincées, mais sincèrement j'ignore où ils se trouvent. Tout ce que j'ai pu explorer de moi, je l'ai exploré, même si cela m'a pris du temps, et même si tout ne s'est pas fait dans la facilité.

De l'épisode de la pension, je garde le souvenir d'une vie assez solitaire dont j'ai pu tirer des enseignements précieux. À la sortie de ce premier grand virage, j'ai su que je pouvais compter sur moi-même, que j'étais capable de me prendre en main. Je me suis rassuré sur mon sort et, même si l'expérience avait été plutôt douloureuse, j'étais « apte ». Ce sentiment de victoire m'a été très utile dans la suite de ma vie. Beaucoup plus précieux qu'un titre de champion de France cadets par exemple.

L'école des champions est cruelle et laisse beaucoup de monde sur le bord de la route, mais ceux qui en réchappent sont mieux armés que quiconque pour surmonter les difficultés. Je suis sûr qu'on trouve aujourd'hui, à des postes importants de la vie active, un tas de gens qui, sans être devenus célèbres, ont su tirer parti de leurs expériences dans ce genre d'établissements, où il est tellement demandé aux gosses. On y gagne une confiance en soi que n'ont pas les autres.

Si on me demandait aujourd'hui de mettre au point un système éducatif efficace rapidement, j'ajouterais deux heures de gym par jour dans toutes les écoles, car je crois en la connexion entre le corps et l'esprit. Quand on développe le corps, on développe des qualités telles que le courage, l'humilité, le contrôle de soi, le respect, qui sont autant de valeurs fondamentales dans la vie. Les jeunes qui n'ont pas reçu cette forme d'éducation manquent de moyens d'agir, et quand ils « pètent les plombs », ils nous renvoient à un problème qui, malheureusement, ne débouche pas assez vite, à mon goût, sur des solutions concrètes.

C'est fabuleux de pouvoir se dire, à quatorze ans, que sa meilleure protection dans l'existence, c'est soi-même ! À Nice, j'ai connu mes premiers copains. On était tous déracinés, ce qui suscitait entre nous des rapports vachement plus forts que ceux qu'on aurait eus dans un contexte plus protégé. Nos relations dépassaient le cadre de celles qui unissent de simples coéquipiers. On avait fondé une espèce de famille à l'intérieur des murs. Le plus âgé était le « grand frère », il y avait le « petit frère », et l'entraîneur, Patrice Beust*, faisait figure de père au même titre que le directeur d'internat, Robert Clément*. Nous avions tissé entre nous des liens étroits parce que nous partagions le même rêve, parce que nous souffrions des mêmes déchirements. Nous nous serrions les coudes. Dans mon esprit Pierre Lebègue*, mon premier pote que je n'ai revu que récemment, c'était *vraiment* mon frère.

Certains trouveront peut-être l'occasion de faire un amalgame entre ces souvenirs d'enfance et l'équipe de France de tennis. Comme une espèce de manie chez moi de recréer une tribu partout où je m'installe un moment. J'aimerais préciser que souhaiter voir les gens se rassembler, chercher à créer des liens entre eux, devrait être naturel à chaque homme, et non un « don du ciel » que certains « élus », moi par exemple, auraient eu la chance de recevoir au berceau.

Je ne cherche pas particulièrement à former des équipes, des groupes, des familles, des tribus, des clans. J'ai simplement toujours ressenti la nécessité de lutter pour éviter que des murs ne se dressent entre les gens. À douze ans, le petit Noah ne s'efforçait pas de créer un groupe à tout prix. Mais, il avait déjà envie que les gens s'entendent bien, partagent des choses, se rendent mutuellement service pour adoucir l'âpreté de la vie. Quand l'égo d'un seul individu vient troubler l'harmonie d'un groupe, quand les ambitions et les intérêts personnels pourrissent la qualité des rapports entre les hommes, j'ai toujours envie de me faire médiateur parce que mon rêve, c'est que les gens retrouvent un état « normal », qui est de vivre en harmonie avec ceux qui nous entourent. Mais arrêtons là, je voudrais tellement éviter ici les clichés.

Les clichés, justement. Il m'en reste bien sûr quelques-uns des quatre décennies que j'ai traversées.

Les années 60, l'Afrique, mon village, mes sœurs, l'école, Arthur, ma raquette... Les années 70. Paris, Miami, voiture décapotable, Bee Gees, Barbara Streisand, les Champs-Élysées, *A star is born*... Puis les années 80 : le combat, la lutte, dominer, le pognon, la gloire, la solitude et mes deux premiers enfants au-dessus de tout ça... Et les années 90, zen, sérénité, prendre le temps, la nature, l'équilibre, mon troisième bébé...

Je me suis (presque) toujours senti en phase avec les différentes époques que j'ai connues parce que j'ai (presque) toujours éprouvé un véritable sentiment de liberté. Ayant commencé ma vie dans une espèce d'indépendance d'esprit, je n'ai jamais eu l'impression de devoir rendre des comptes et j'ai finalement toujours fait ce que j'avais envie de faire. Je ne me suis jamais senti coincé. J'avais envie d'aller à l'école, j'y allais, je n'en avais pas envie, je signals mon mot d'excuse, j'ai toujours pris mon destin en main. Je me suis (presque) toujours senti capable de m'adapter à tout. J'ai eu de l'argent très tôt, et très tôt le souci d'être heureux. J'ai fait très tôt un métier qui me plaisait, si bien que je n'ai jamais eu l'impression ni de travailler ni d'avoir à me justifier. Parfois la presse m'a fait croire que je devais le faire, mais j'ai toujours pensé le contraire.

Naturellement, j'ai suivi des courants, des phénomènes de mode. Souvent d'ailleurs, j'ai cru les anticiper avant de m'apercevoir qu'on était nombreux à avoir fait la même démarche au même moment. Ce qui est désolant avec les modes, c'est qu'elles vous poussent à laisser de très belles choses dans le caniveau juste par souci de vous démarquer. Mais qu'importe, si ces choses vous tiennent à cœur, vous n'allez pas les rejeter sous prétexte qu'on en parle à la télé ? Et que des « idiots » vont les adopter ? J'étais toujours à l'affût d'une idée qui me ferait progresser, qui m'apporterait des solutions ou du réconfort. Et quand cela me plaisait, je n'attendais pas longtemps avant de m'y engager. Dès que je sentais que cela pouvait être bien pour moi, je fonçais. Je n'ai jamais été du genre frileux.

J'aimerais que mes enfants aient aussi une perception globale et très ouverte du monde, et non restrictive. Qu'ils ne soient pas réticents à la nouveauté. Qu'ils ne raisonnent pas « petit », petites idées, petit pays, petite ville. Au contraire, continent, monde, système solaire, univers ! Je souhaiterais qu'ils aient conscience de l'étendue des possibilités dont un homme dispose pour être heureux, en phase avec les autres et avec la nature. Qu'ils aient la notion de la beauté et qu'ils fassent preuve de vigilance vis-à-vis des dangers. Que leur évolution les amène naturellement vers la liberté et la créativité. Qu'ils se construisent une façon à eux d'aborder la vie, comme j'ai façonné la mienne, par petites touches, en prenant ce que j'ai trouvé de meilleur dans chacun des courants de pensée que j'ai découverts. Une sorte de philosophie à la carte, établie en toute liberté, qui corresponde le mieux à leurs aspirations.

3

Féminin

> Tout est question de TIMING.
> Heather et moi nous sommes
> croisés au moment où nous avions
> besoin l'un de l'autre.

Mon univers quotidien est peuplé de femmes. Si demain la politique devenait une affaire de femmes, elle en serait sûrement beaucoup plus efficace. J'ai naturellement plus confiance en une femme qu'en un homme. Pour moi, une relation avec une femme est toujours plus facile, plus sincère, plus simple et plus fructueuse. Elles ne me jugent pas, ne me jalousent pas, ne cherchent pas à entrer en concurrence avec moi.

J'aime les valeurs que les femmes mettent en avant. Et puis au milieu des femmes qui m'entourent, mes sœurs, ma mère, les filles avec qui je bosse, mes copines..., il y a ma femme. Heather. La plus belle femme du monde.

Fin 1990, je suis resté seul quelque temps. Le calme plat, à peine troublé par des apparitions fugitives — cocktails, aéroports, halls d'hôtel — d'une fille dont la beauté me troublait. Elle était d'autant plus énigmatique que jamais nous n'arrivions à échanger deux mots. Un jour, j'ai reçu le book d'un photographe qui voulait travailler avec moi : le book ne contenait que des photos de Heather. Une autre fois, à Rome, dans le quartier des artistes, je tombe sur un peintre en train de reproduire le portrait de Heather d'après un magazine. Ça devenait carrément intriguant et j'en fus heureux. J'ai eu l'impression ce jour-là que quelque chose était en train de se dessiner pour moi, pour nous ! La prochaine fois, je lui parlerais... C'était à un anniversaire. Nous avons parlé, parlé, parlé. Et plus tard, nous nous sommes mariés.

Jusqu'à cette rencontre, j'avais toujours imaginé que le bonheur à deux, c'était d'avoir envie de prendre son petit déjeuner dans le même bol que sa femme. Avec Heather, j'ai perçu les choses différemment : c'est fabuleux de s'aimer tout en continuant à boire dans son propre bol. Je pense que Heather et moi nous sommes trouvés au bon moment. Le bonheur, c'est souvent une question de timing. La bonne personne au bon endroit dans une phase de son évolution propice à une grande histoire. Les deux personnes s'entendent non seulement parce qu'elles sont ce qu'elles sont, mais parce qu'elles le sont à un moment précis.

Heather et moi nous sommes croisés au moment où nous avions besoin l'un de l'autre. Notre passé, nos blessures, nos aspirations nous ont rendus complémentaires.

Heather possède une qualité absolument fascinante : elle ne sait pas parler fort. Incapable d'élever la voix quoiqu'elle ait à dire. Elle ne passe jamais en force, elle explique toujours. Savoir parler doucement est, de fait, le secret d'une bonne communication. Elle m'a vraiment inculqué cette attitude que j'avais déjà explorée, mais pas avec autant de patience qu'elle. Il peut y avoir entre nous des moments extrêmes, des tensions, comme dans tous les couples. Mais quand on n'est pas sur la même longueur d'ondes, le fait de s'obliger à en parler tranquillement change vraiment tout. Et ce qui est valable au niveau de notre couple devrait l'être pour tout type de dialogue. Des paroles choisies, prononcées au moment opportun sur un ton mesuré, seront toujours plus efficaces que n'importe quel coup de gueule.

*

Maman compte énormément pour moi. Un mot sur elle, peut-être... Elle nous a toujours suivis, mes sœurs et moi. Elle a toujours été présente, même si, bien sûr, nous étions si souvent séparés. Créer les Enfants de la Terre a été décisif pour nous, pour nous séparément, et pour nous ensemble. L'association a donné un sens à nos vies. Un sens à ma situation de « célébrité ». Ensemble nous avons trouvé une direction, une vraie raison de vivre, et je crois que cela nous a tous les deux un peu sauvés à un moment où le doute était fort. Agir pour Les Enfants de la Terre nous a non seulement donné le sentiment d'être utiles mais nous a étroitement liés l'un à l'autre. Maman s'occupe de l'association au quotidien. C'est un travail sans fin, dont on espère qu'il continuera quand nous ne serons plus là. On n'en verra jamais le bout. Je suis fier de maman. C'est vraiment quelqu'un de bien. Elle m'a rendu un sacré service.

Maman nous a élevés sans jamais nous engueuler. Elle était professeur de français et particulièrement pédagogue. Elle a mis ses connaissances et son talent au service de la famille comme elle sert maintenant les Maisons Tendresses des Enfants de la Terre qui accueillent en urgence des enfants en difficulté. Elle comme moi avons besoin de partager ce que nous avons de meilleur. Nous sommes incapables de croiser les bras devant la souffrance des familles, des enfants en particulier.

4

Mon père, l'Afrique, la famille

L'Afrique est Riche car c'est un
continent capable de vivre sans
rien et souvent de vivre bien.

Mon père a une qualité qui fait désormais partie de ma propre vie, c'est la faculté de savoir traiter tout le monde de la même façon. Il parle au jardinier comme il parle à un ambassadeur. Il traite chacun avec un grand respect, beaucoup de gentillesse et de naturel. J'ai toujours été fier de lui à cause de ça. Ses copains, c'était le gardien de la maison d'un copain, le chauffeur de taxi et le ministre. Papa est quelqu'un de convivial, sa maison est toujours ouverte, il est généreux.

De l'Afrique en général, je garde des leçons de vie.

Cliché : « L'argent ne fait pas le bonheur »... Oui, mais réalité : je connais des gens qui ont beaucoup d'argent, beaucoup d'amis, beaucoup de tout et qui sont infiniment moins heureux que la plupart de mes copains au Cameroun. Parce que la richesse du cœur peut compenser bien des manques matériels. Pas besoin d'avoir des millions pour être bien.

Le bonheur c'est savoir apprécier ce qu'on a et sur ce

plan-là, il suffit que j'aille passer quelques jours en Afrique pour me recharger complètement. Dans l'atmosphère qui règne là-bas, je peux tout remettre en perspective, tout relativiser. J'ai une vision très positive de l'Afrique, même si je n'ignore pas ses souffrances.

L'Afrique, c'est d'abord des mômes à poil dans la rue, avec des sourires qui barrent leur visage, beaux, sains, heureux de vivre. Ils chantent et dansent en riant. Ils ont l'énergie de la simplicité.

L'Afrique c'est aussi le souvenir de mon grand-père paternel Simon Papa Tara, Noah Pikié (Noah-de-fer). Je suis sa réincarnation. Je le sais. On me l'a dit depuis que je suis né. Ma grand-mère m'a toujours appelé « mon mari », mon grand-père m'a toujours dit qu'il ne mourrait jamais et qu'il viendrait me voir. Je n'ai mesuré que plus tard la portée de ce qu'il me disait dans mon enfance.

Il est venu une fois, à Nainville, dans ma maison à la campagne. C'était à l'aube.

J'ai été réveillé par les chiens. Je me suis senti subitement dans le même état que lorsque j'ai gagné la balle de match à Roland-Garros. Le sentiment de ne plus toucher terre, de voler, d'être plus léger que l'air. Comme dans un rêve ? Non, même pas, c'est comme... rien d'autre. Je l'ai vécu deux fois : à Roland-Garros d'abord, puis à Nainville. Devant la France entière, puis dans mon lit, près de ma compagne d'alors, Erica*.

Lorsque Joakim est sorti du ventre de sa mère, je suis parti, j'ai couru dans la rue en hurlant de joie. L'extase ? Non. Une espèce de sensation physique qui ne porte pas de nom, mais on a l'impression qu'un bus pourrait vous rouler dessus sans que vous le sentiez. Bref...

Six heures du matin, les chiens hurlent à la mort, et je ressens violemment ce bonheur à l'état brut. Des doigts de pied à la pointe des cheveux, je *suis* le bonheur. Rien ne peut me toucher. Vingt secondes. Je ne le vois pas pas mais je sens la présence de mon grand-père. Je lui souris.

On se parle. Il me dit que ce que je fais est bien. Il dit : « Continue de bien t'occuper de la famille. » Sur l'instant, je trouve tout cela normal. Il me quitte. Un moment s'écoule. Je descends dans la cuisine préparer le petit déjeuner et, quand Erica se réveille, j'hésite à lui raconter ce que je viens de vivre. Que va-t-elle penser ? Contre toute attente, c'est elle qui m'annonce qu'elle a vu mon grand-père. Elle me le décrit alors qu'elle ne l'a jamais vu, et, détail troublant, exactement comme il avait l'habitude de s'habiller : costard, chapeau. Je ne lui en avais jamais parlé.

Cette longue expérience, qui a duré au moins une minute, a bouleversé ma façon de ressentir mon enfance. Au village, quand les gens parlent des morts, ils ne délirent pas. Ça fait partie de la vie quotidienne. Ce jour-là, je me suis rapproché de mon village et des miens. « *Etudi* » est à nouveau entré dans ma vie. Je le garde en moi.

Je n'ai pas le sentiment d'accomplir une mission vis-à-vis de mon grand-père. Je ne me sens pas de responsabilité pesante par rapport à lui. Il a été tué pendant une guerre, voilà, c'est tout. Je suis ce que je suis, je suis lui et je suis moi. Rien ne m'y oblige. C'est ainsi. Je suis en phase avec ce que je dois faire. Je me laisse porter. Mon destin est écrit. J'ignore qui l'a écrit mais je sais toujours ce que j'ai à faire. Et d'où je viens.

À ce propos, je voudrais parler de mes grand-parents maternels qui comptent énormément pour moi. Autant que mes grand-parents africains. Ils ont été très présents. Ma grand-mère maternelle naturelle est morte avant ma naissance, mais j'ai connu et aimé ma « belle-grand-mère ». Femme discrète et tendre, elle est décédée au début des années 80. C'était la mémé gentille qui offrait des bonbons aux enfants. Mon grand-père, Marcel Perrier, était poète. La bonté même. Un grand poète n'est pas forcément celui qui vend des milliers de livres. Lui était un grand poète. Il vivait de son art. Il écrivait beaucoup sur la nature. Il a écrit des vers merveilleux sur les Ardennes et sur les animaux. Il était capable de sentir la subtilité des odeurs, les nuances des couleurs. Il avait du recul sur les choses, il savait les apprécier, dans tout l'éclat de leur splendeur, parce qu'il était suffisamment sensible pour tout percevoir. Y compris les sentiments. C'était un drôle de mec. Un homme dont je lis les recueils, un homme dont je suis fier, et dont je me suis inspiré.

MA DEVISE,

VIEILLIR EN RESTANT JEUNE !... On rit de ma devise !
Je connais des amis qui se gaussent de moi !
« Les vieux avec les vieux ! » C'est l'éternelle loi !
Les jeunes, maintenant, s'instruisent à leur guise !

Quelle erreur est la vôtre ! Au seuil du grand départ,
Nous devons réagir, faire oublier nos âges.
La jeunesse a besoin de vrais conseillers sages
Mais qui sont des amis, non des « Père Fouettard » !

Les règles de l'Amour ne me sont apparues
Que tard dans l'existence, en bon vieux confident.
Et ma petite-fille avouait gentiment :
« Des papy comme toi, ça ne court pas les rues ! »

Mais oui, mes vieux amis, malgré vos airs moqueurs,
Oubliez vos soucis, la crainte personnelle,
Sachez demeurer JEUNE et la fin sera belle,
Car, après le départ, vous vivrez dans leurs cœurs !

                                        Marcel Perrier.

Dizzy

C'était pendant un Roland-Garros, un beau soir de printemps, les marronniers de la Porte-d'Auteuil sont en fleurs, etc. Bref, je décide d'aller écouter un peu de jazz au Méridien à l'époque où beaucoup de grands jazzmen se produisaient et aimaient, après le spectacle, à partager un peu de temps avec les derniers clients. Ce soir-là, c'est Dizzy Gillespie qui se produit, je passe une super soirée, je le rencontre, on sympathise, je l'invite à Roland-ros, il vient, etc. Une amitié se noue gentiment entre nous car je suis plein d'admiration pour le musisien et pour l'homme qu'il est. Il a en lui cette simplicité que seuls les plus grands arrivent à faire admirer. Il est plein de bon sens, d'humilité, il est chaleureux, il semble être plein de sagesse.

Trois mois plus tard, le beau sourire de Dizzy format poster me cueille à l'aéroport de Tokyo et bien sûr je ne résiste pas au plaisir d'aller lui faire un petit coucou. On passe une soirée formidable avec son équipe qui l'adorait. Qu'il adorait. Et de loin en loin, d'Amérique au Japon en passant par l'Australie, on s'est retrouvés comme ça plusieurs fois en plusieurs années dans des endroits incroyables.

Dans le désert californien, un soir, il m'a raconté sa vie, m'a parlé du talent et, sans m'agresser ni me juger,

il m'a dit que c'était bien d'être relax, mais qu'il fallait
« être un petit peu sérieux. » Il avait l'air d'un papy, d'un
papy tendre et grave : « Serre un peu la vis, Yan, ne te
laisse pas trop aller. » J'écoutais religieusement, médita-
tif, mais deux minutes après, dans un éclat de rire sonore,
il me racontait cette croisière de deux mois qu'il avait
faite, accompagné d'un orchestre uniquement composé de
femmes ! Avec Dizzy, sans le savoir, j'approchais du sens
que j'allais donner à ma vie, à savoir, prendre vraiment
plaisir à faire ce qu'on a à faire. Moi qui ne rêvais que
de profiter de ma maison, qui en avait tellement marre de
la routine aéroport-hôtel-club-restau, je m'étonnais de
voir ce vieil homme bourlinguer avec une telle soif
d'aventures.

— Yan, tu me vois devant une maison, me balancer
dans un rocking-chair en attendant la mort ? C'est ça que
tu me souhaites, Yannick ? La mort, elle me cueillera
quand elle voudra, mais en attendant je m'éclate. Et je te
conseille d'en faire autant !

Peut-être deux années plus tard, je me retrouve à jouer
un match à Key Biscayne, près de Miami, contre Volkov*, un soir de grande fraîcheur comme il en existe en
Floride au mois de mars. Le programme s'est éternisé et
nous pénétrons très tard sur le court, vers 23 heures,
devant quatre mille personnes. Le match est télévisé, il y
a encore un peu d'ambiance. Je perds le premier set : on
se retrouve à mille personnes légèrement frigorifiées, je
perds le deuxième set : il ne reste plus que cent mordus
complètement congelés, mon entraîneur, et quelques journalistes. Je gagne le troisième set sur le coup de 1 heure
du mat' devant dix personnes momifiées et à ce moment-
là, qui je vois arriver, tranquille, le sourire comme un
soleil ? Dizzy ! Mon pote, Dizzy ! Il s'assoit à côté de
Hagel* et suit attentivement tout mon match que je finis
par gagner au cinquième set à 2 heures et demie du matin.

Je vais l'embrasser :

— Dizzy, mais qu'est-ce vous faites ici ?

— Ce soir, j'ai donné un concert à une heure de route d'ici. J'étais en peignoir chez une amie italienne qui m'a fait un dîner absolument somptueux quand, soudain, je vois mon pote à la télé se faire suer à courir après une balle alors que moi je suis en train de m'éclater devant un sublimissime *chicken parmigianna* ! J'ai trouvé que c'était vraiment pas juste, alors, écoute, Yan, voilà, je t'en ai apporté !

Et il me sort une espèce de doggy-bag en plastique avec effectivement du poulet baignant dans une sauce tomate figée.

Depuis, la mort est venue chercher Dizzy, mais pour moi il aura toujours soixante-quinze ans...

5

Dieu, les amis, la musique

Je ne me réclame pas d'une seule religion, D'un seul Dieu. Je me sens citoyen du monde.

Toute évolution intérieure amène inévitablement à s'éloigner de certaines personnes. Un jour, je cesse de voir des gens. Rien ne s'est cassé, je suis juste parti me balader ailleurs. Sans chercher à mettre des distances. Qui m'aime me suive ! Qui a envie de partager mes valeurs m'appelle. Simplement, on n'évolue pas tous de la même façon, ni à la même vitesse, et les amis d'hier peuvent avoir du mal à trouver naturellement place dans votre vie d'aujourd'hui. Je n'ai jamais rejeté mes amis. Et si parfois, avec certains d'entre eux, il y a eu des mots durs échangés, des situations pas claires, je n'en exagère pas l'importance. Le Karma fait les choses, et à un moment il nous faudra tous passer à la caisse. Qui que nous soyons. Je crois au Karma mais je ne suis pas bouddhiste, même si les fondements de cette philo-sophie religieuse m'inspirent totalement. Mais je n'ai pas l'éducation ni la culture nécessaires pour revendiquer l'appartenance au bouddhisme.

En fait, je ne me réclame pas d'une seule religion. D'un seul Dieu. Je me sens citoyen du monde, je crois à la réincarnation et en une force supérieure et divine qui régit le monde. Notre bonheur dépend de notre faculté à nous adapter à l'histoire déjà toute écrite de notre vie. Certains respectent Dieu, d'autres Bouddha ou Mahomet. Moi je respecte une force que j'attribue à la Nature. Ma démarche peut tout à fait se comparer à celle d'un chrétien ou d'un moine tibétain. Le point de concordance étant d'accepter de ne pas chercher à prendre le contrôle de sa vie contre son propre destin, mais au contraire de servir la Nature en étant le meilleur possible dans ses actes, le plus conforme à ce qu'Elle permet de faire. Je pourrais revendiquer une appartenance au mouvement *New Age*, mais l'expression a été tellement galvaudée qu'on a forcément des réticences à s'en réclamer. À un moment donné je suis parti dans une direction. Début des années 90. C'était la seule direction possible pour moi, même si tous mes chers amis d'autrefois ne la suivaient pas. Mais l'important n'est pas tant qu'on se sépare. L'important c'est que chacun soit sur la route qui lui convient le mieux. Quitte à ne plus jamais se revoir.

J'ai aujourd'hui un seul ami intime. Ça paraît peu pour quelqu'un qui rencontre tellement de gens à longueur de journées. Mais je ne peux appliquer le label ami qu'à ceux avec lesquels j'ai plaisir à passer du temps et je n'ai malheureusement pas de temps pour plus d'un ami. Par ailleurs, je compte bien une trentaine de personnes avec qui j'ai vécu des moments privilégiés et que je considérerais comme des amis si mes journées pouvaient se démultiplier. Une trentaine de personnes en qui j'ai confiance et avec lesquelles je suis sûr de vivre des moments forts. On ne se téléphone pas tous les jours, mais c'est bon de les savoir quelque part, pas loin. Et puis il y a plein de gens que j'ai plaisir à rencontrer.

Parmi eux, un homme, excentrique et authentique :
CharlElie. CharlElie Couture est un athlète intérieur. Un
artiste intérieur. Immense générosité. Immense talent
d'écriture. Coup de crayon magnifique. J'ai toujours été
fan de sa musique. C'est son feeling qui m'a toujours plu,
feeling que j'ai tant de fois pu apprécier en concert. Son
talent est éclectique. Ouvert à tout, prêt à tout, capable de
tout, CharlElie est un artiste libre. Il se dépense sans
compter. Surtout sans compter le nombre de disques qu'il
pourrait vendre. Il cherche en permanence une façon différente d'exprimer la musique. Il termine un album à Chicago, le précédent nous venait d'Australie. Il est en
perpétuel mouvement.

Sa manière de parler du tennis est exceptionnelle. Il en
parle comme un champion. Il m'a surpris car il a su établir un lien entre ce qu'il est dans sa vie et ce qu'il est en
tant que joueur. Il n'a pas besoin d'être classé à l'ATP
pour trouver dans le jeu de tennis de quoi s'épanouir. Je
ne veux pas trahir ses secrets, mais il m'a dit que la
découverte du tennis avait bouleversé son mode de vie.
Ce qui lui plaît, c'est la relation corps-esprit.

La première fois que je l'ai rencontré, c'était sur un
court, à Nancy, près de chez lui. Je l'avais invité à l'occasion d'une journée « Enfants de la Terre » pour qu'il
échange quelques balles avec nous, avec les enfants.

Au cours de cette après-midi-là, nous avons donné
ensemble une conférence de presse. Il a parlé du jeu d'une
manière tellement profonde ! C'était la première fois que
j'entendais un *amateur* en parler aussi bien.

Cela nous a naturellement rapprochés. Et de loin en
loin, on se fait des signes d'amitié. Un jour, je passais
devant un studio de Canal où il était, je suis entré sur le
plateau, nous avons chanté « La ballade du mois
d'août 75 ». Il fut surpris de voir que je connaissais ses
chansons par cœur. On a fait ce petit *bœuf* et puis on s'est
dit : « À la prochaine ! »

développer celui qui est en nous.

*(Ecrite en juillet, enregistrée le même jour que celui de la brillante victoire
de l'équipe de France en coupe Davis)*

Champions Tennis métaphore

Athlètes dans leur sphère concentrés sur eux-mêmes,
champions solitaires, plein de mystère,
ils visent une même cible qui semble inaccessible
ils se dépassent dans l'effort pour un fantasme en or

Aller/ retour, de long en large sur les courts
ils poursuivent un même rêve qui rebondit sans trêve
Dévoués à leur passion, ils s'entraîneraient nuit et jour
par fierté ou pour leur nation, ils se motivent encore et toujours

Les uns parlent du plaisir de gagner une compétition
d'autres additionnent les points ou recomptent le pognon
ils sont que ce qu'ils sont tantôt merveilleux,
tantôt un peu cons ou très ambitieux

Attachés à l'attaque ou défoncés en défense
volleyeurs naturels ou joueurs de conscience
Sur terre battue, sur gazon sur la moquette ou le goudron
Ils incarnent les idoles tantôt ange ou démon

Refrain:
    Un jour l'un d'eux m'a dit: c'est comme la vie en général
    Garde à l'esprit la balle dans le cœur du tamis
    Toujours en mouvement, vers l'avant, respire à fond et serre les dents
    respecte l'autre et n'oublie pas: depuis Mathusalem, ton pire ennemi c'est toi-même

Grands oiseaux en short ou migrateurs sans escorte
jeunes filles aux poignets de fer qui parfois se laissent faire
par des amis, entraîneurs ou drôles de managers
qui remplacent leur famille qui les rassurent ou les étrillent

Adolescents exigeants ou capricieux souvent
ils se videraient de leur sueur pour être le meilleur

Refrain

    Donner tout ce qu'on a se sortir les entrailles
    tant de sacrifices, pourquoi? pour serrer une médaille?
    Non, plus que la gloire, au delà de la victoire
    la plus belle récompense que chacun espère en silence
    c'est pouvoir un jour lever les bras devant son pays, devant les média
    ou simplement devant son papa,

mais d'ici là .

Refrain

Words &Lyrics by CharlElie
© Flying Boat 1996

LiBérer les énergies prisonnières

Quand j'ai rédigé le plan de ce livre, avec les idées que je voulais exprimer en priorité, j'ai donné un exemplaire à CharlElie. Il me l'a renvoyé annoté, illustré par les dessins reproduits ici même. Et puis, au moment où nous gagnions la Coupe Davis, CharlElie enregistrait cette chanson, si belle, qu'il m'a autorisé à publier dans ce livre.

Il incarne la musique qui veut aller vers le sport, et moi, le sport qui veut aller vers la musique.

Pourquoi je fais de la musique ? Combien de fois ne m'a-t-on pas posé cette question... Je suis vraiment heureux quand je suis en groupe, quand on a chacun notre partition, que chacun joue de son côté et quand finalement on produit une musique unique à plusieurs. Vous vous amusez et subitement, il y a des moments magiques qui se créent où vous êtes vraiment en harmonie avec tout le groupe. On est *un*, indivisible, l'espace d'un moment.

Ce n'est pas un plaisir comparable à celui que j'éprouve avec mes copains de la Coupe Davis. Ce qui différencie ces deux plaisirs ? C'est la musique, tout simplement.

L'absence de compétition. Et mon implication directe dans le groupe. Quand je suis assis sur une chaise à encourager les joueurs, il y a un certain plaisir à voir les autres donner ce qu'ils ont de meilleur et à apprendre avec eux ; mais quand je fais de la musique, le plaisir est instantané, fort et personnel.

Sur un concert de deux heures, j'ai deux heures de bonheur.

La musique m'offre les seuls moments où je me sens vraiment libre. Je me lâche, je plane.

Sur une scène, dans un studio d'enregistrement, sous un arbre, sur une plage, dans la rue, dans les bars, avec notre groupe, les Frites, nous jouons. Et quand on joue, j'ai l'impression d'avoir plus d'espace, je ne suis plus confiné dans un terrain limité. Les lignes s'envolent, les filets tombent, les grillages disparaissent, je me sens complètement libre de mes mouvements.

Des potes, avec lesquels je joue de la musique, forment une petite communauté dont je ne suis qu'un membre comme les autres. Pour une fois, je ne suis pas leader. J'apprends, et ça me plaît de ne pas être en première ligne, de pouvoir me reposer un peu sur les autres.

Notre objectif est de faire un bel album, et un bel album, pour nous, c'est la promesse de voyager ensemble.

Ce n'est pas de vendre à tout prix des disques. Pour moi,
« Saga Africa » qui a bien marché (800 000 exemplaires),
c'est surtout toute cette joie que cette chanson a provo-
quée en France. Les gens, les mômes qui dansaient, ça
s'amusait. J'aime bien cette chanson parce qu'elle représente quelque chose de simple, de gai, rythmé, sans
aucune prétention : c'est du soleil, des sourires. Je la
chante à chaque concert et les gens dansent. Quand on
joue les premières notes, chaque fois, le public s'illumine.
C'est toujours un moment où tout le monde est d'accord.
J'ai aussi fait un album rock en anglais, qui n'a pas très
bien marché commercialement mais que je renie pas du
tout parce que je me suis éclaté dans ce genre-là aussi.
Sans compter que j'ai pu travailler et apprendre énormément aux côtés de Franck Langoff.

J'aime la musique pour la musique. Quand certaines
personnes racontent que je fais de la musique parce que
je ne peux pas me passer de l'attraction d'un public, cette
idée m'amuse. Encore un cliché, comme si celui qui avait
connu la gloire ne pouvait plus s'en passer. C'est une
question de personnalité, mais quand on parle ainsi à mon
propos, c'est pour moi une insulte. J'ai fait un bout d'es-
sai au cinéma, sans succès, et franchement je n'en ai pas
fait une maladie. Je n'attends pas après ça.

Car finalement, la seule chose qui m'importe, c'est le
contact direct avec les gens rencontrés au hasard d'une
journée. Au début, ce qui est un peu bizarre, c'est de ne
rencontrer que des gens pour qui me voir constitue un
petit événement. Pendant longtemps, l'expression de leur
surprise m'a gêné, voire pesé. Je suis dans mon ordinaire
et puis, subitement, je croise quelqu'un qui a tous les sens
multipliés par dix ! Étonnante sensation. Que j'ai fini par
apprécier tout simplement. Ainsi j'ai cette faculté d'apporter un moment joyeux dans une vie, j'en profite, et
j'en fais profiter ceux qui l'apprécient. Je me sens mieux
depuis que j'ai trouvé le moyen d'accepter complètement

cette relation avec l'autre. On me serre la main, je la serre franchement, on me fait la bise, je réponds, je prends le temps de signer les autographes, je bavarde... Ces petits gestes me coûtaient quand j'avais envie d'un peu de tranquillité. J'avais les batteries déchargées. À présent, c'est clair. Soit j'ai envie d'intimité et je me préserve, je m'enferme. Soit j'ai envie de sortir et alors, je prends chaque rencontre comme elle vient sans chercher à l'éviter. C'est même devenu une source de bonheur pour moi.

6

La solitude, source de connaissance

Passer de la nuit au jour observer l'aube, voici la clarté redessiner l'horizon, seul dans le silence de la mer en attendant l'apparition du soleil Sensation magique comparable à une naissance, une renaissance

Il n'y a rien de plus beau que la solitude à haute dose. Rien de plus riche, rien de plus privilégié, rien de plus pur que la contemplation. Pas évident de se laisser aller à la contemplation pendant des heures. Je me souviens d'un livre que j'ai lu il y a quelques années : *Zen*. Un grand livre qui relatait des histoires fascinantes, comme celle d'un homme capable de rester immobile trois jours durant ! « Moins c'est plus », disait-il... Quand on sait ce que dix minutes d'immobilité apportent comme énergie, ce qu'un quart d'heure de silence recèle de bienfaits ! C'est tellement bon de pouvoir aller à l'intérieur de soi, naturellement...

Sur un bateau, au milieu de l'océan, une journée pour méditer, sans jamais être interrompu...

J'ai eu la chance de vivre cette expérience il y a trois ans. Dix-sept jours de traversée de l'Atlantique. Il y avait mon père, Christophe le skipper, Gilles, un pote, et moi. Au bout de deux jours, on ne s'est presque plus adressé la parole. Mais sans la moindre gêne. Aucun de nous n'avait envie de troubler l'autre. Chacun cherchait son coin, son espace. L'âme vagabonde. Et puis on allait se coucher et le lendemain matin, l'esprit régénéré reprenait le fil de sa pensée. Constamment à l'intérieur de soi.

Au départ, traverser l'Atlantique était pour moi une aventure à mi-chemin du rêve et du défi. Et c'est en route que j'ai ressenti la force de l'expérience et la véritable richesse d'une traversée en mer. Avant de se lancer, on a des appréhensions plutôt matérielles : est-ce qu'il y aura des tempêtes ? Le bateau va-t-il se retourner ? Quelle hauteur les vagues peuvent-elles atteindre ? Est-ce qu'on aura peur la nuit ? Et puis une fois tout cela intégré, quand on se sent tranquille et en contrôle sur le bateau, on entre dans un drôle d'état psychologique. Soit on est complètement agressé par l'image de soi qui vous saute au visage, sans vous offrir d'échappatoire comme dans la vie courante, et on a juste envie de faire ami-ami avec soi-même ; soit on arrive à se regarder en face tel qu'on est, sans lunettes déformantes et là, on peut commencer à s'explorer, à découvrir les mécanismes qui font la qualité d'une vie. On fait en quelque sorte le tour du propriétaire avec tout le loisir de rester des heures à contempler la même pièce.

C'est fabuleux.

Passer de la nuit au jour, observer l'aube qui monte de seconde en seconde, voir la clarté redessiner l'horizon, se sentir seul dans le silence de la mer, en attendant l'apparition du soleil, sensation incroyable, comparable à une naissance, une renaissance...

Et puis la journée s'écoule, si courte, si longue, vous n'en avez aucune notion, jusqu'au coucher du soleil, où cette espèce de mélancolie s'empare de vous, de nouveau. Vous n'avez même pas envie de la chasser, elle fait partie du Tout. Les dauphins, la nuit, qui font des arabesques incroyables devant le bateau. Leurs mouvements à l'avant qui laissent de longs sillages de plancton comme des dessins fluorescents, c'est à pleurer, c'est si fort...

Puis vint le onzième jour.

Nous sommes en train de dîner silencieusement. On va droit vers l'ouest et tout à coup on voit sur la ligne d'horizon un nuage dans une lumière rose. Une fusée de détresse ? Pas du tout, ça ne bouge pas. Et puis subitement cette lumière qui est en fait composée d'un faisceau blanc et d'un faisceau rouge transperce un nuage et nous fonce droit dessus. Une fraction de seconde, je crois ma dernière heure arrivée. Je m'imagine que c'est un Mirage, qu'on est dans une zone militaire. Chris me dit : « Vite, vite, allume toutes les voiles », et au moment où j'allume les lumières, je me crispe, je sors la tête et là, je vois cette lumière, qui avance à une vitesse plus que supersonique, faire carrément un angle droit pour éviter le bateau, le tout dans un silence total, avant de disparaître. Nous restons abasourdis tous les quatre, hallucinés même, et notre première réaction est de nous féliciter d'avoir été quatre à voir ça. De se dire que, comme personne ne nous croira, il sera toujours bon de pouvoir en parler entre nous.

On s'est mis à imaginer tout un tas de trucs, on a fait des appels radio pour tenter de trouver une explication rationnelle. Rien. Rien que notre certitude de ne pas avoir rêvé. Alors sur le carnet de bord on a marqué : 20 h 30, OVNI ! ! ! Anecdotique. Passons.

Quand la traversée se termine, qu'on revient sur terre,

le plus difficile est de parler aux gens. Habitué à un rythme vraiment tranquille, tous les sens en éveil, on a l'impression que tout va trop vite. On se sent agressé pour rien, pour un geste, une réflexion un peu déplacée. J'imagine ce qu'ont dû éprouver les d'Aboville*, les Delage quand ils sont rentrés de leur aventure et qu'ils en ont pris plein la figure. Des agressions de toutes sortes : « Il a triché pour arriver au *20 heures* », « Il a triché parce qu'il a mis des palmes », « Un vieux sac en plastique aurait dérivé aussi bien », etc. Ça me met en colère parce que ce qu'ils ont fait — quel que soit ce qu'il y a autour, les accords commerciaux ou autres —, ils L'ONT FAIT, et ça mérite le plus profond respect. Traîner ces hommes dans la boue au nom de l'éthique sportive me révolte : est-ce un exploit sportif ? Non ? Arrêtez ! Traverser un océan seul, c'est un exploit tout court. Un défi humain, et il n'y a que ça à retenir et à saluer. Le décalage entre mon admiration et la manière dont ils se sont fait casser m'a énormément marqué.

7

La découverte du don de soi

> J'avais l'impression que
> c'était pur hasard, juste un
> contretemps, que j'avais des
> "obligations", que ce n'était pas
> ma faute, que ça s'arrangerait
> plus tard, mais en fait je ne me
> donnais pas les moyens d'organiser
> ma vie en fonction de mes sentiments

On n'est pas obligé de partir en bateau pour s'offrir un retour sur soi-même. En revanche, on est obligé, je crois, d'accepter un retour sur soi-même pour avancer ensuite dans la bonne direction.

À un certain moment, j'ai eu envie d'épouser Heather parce que quelque chose en moi me disait que je l'aimais, qu'elle était la femme que j'attendais. Mais si c'était un sentiment délicieux, il demeurait abstrait. Je lui disais que je l'aimais, mais je n'accordais pas à cet amour tout le soin nécessaire. En fait, mon amour était sincère mais je le bâclais. Je prétendais l'aimer, mais je me présentais à elle avec mes contradictions, mes doutes, mes manquements, sans véritable engagement pour y remédier. Je désirais m'approcher d'elle, mais en réalité je trouvais toujours une bonne raison de courir dans l'autre sens.

J'avais l'impression que c'était pur hasard, juste un contretemps, que j'avais des « obligations », que ce n'était pas ma faute, que ça s'arrangerait plus tard, mais en fait je ne me donnais pas les moyens d'organiser ma vie en fonction de mes sentiments. Je n'accordais pas à mon amour l'importance qu'il avait réellement. De sa voix douce, Haether me l'a fait remarquer. Je l'ai demandée en mariage et elle m'a dit : « Si ça te fait plaisir... » Elle, ça ne lui faisait pas plaisir : elle m'aimait mais elle était lucide sur ce qui nous manquait. On s'est séparés. Je suis parti seul, en Corse, et j'ai renoué avec l'introspection, j'ai fait sur moi un vrai travail de recherche. Cela a duré quelques jours... avant que j'arrive à l'essentiel : la certitude que les décisions que je prendrais à l'avenir auraient été mûrement pesées par moi et par moi seul. Que rien de ce que j'entreprendrais ne serait sous influence.

Je me suis promis de développer toutes mes facultés d'écoute afin de vivre le plus conformément à ce que je suis réellement. J'ai pris l'engagement de donner tout ce que j'avais à donner et d'y puiser ma part de bonheur. J'ai commencé par mes enfants, ma femme, puis ça s'est étendu à mes parents, mes amis, et à tous les gens à qui je peux apporter quelque chose. Quand je vais dans les hôpitaux, quand je participe à des séminaires de management, je n'ai pas le sentiment de « travailler », je ne fais rien d'autre que suivre mon chemin. À l'écoute de moi-même, j'ai cherché à connecter mon cœur et mon esprit.

Autant, pour m'y aider, la traversée de l'Atlantique a été une heureuse révélation, autant le passage dans la montagne corse fut un épisode douloureux. Mais cette étape-là était nécessaire.

Parfois je sens que je commence à faiblir, à certains moments je deviens plus irritable, moins détaché des choses matérielles, je m'accorde des excès... Alors je vais me recharger, me ressourcer seul quelque part où la nature est vivante.

La solitude m'est devenue une richesse inestimable alors qu'autrefois, elle me condamnait à l'ennui, jusqu'à l'angoisse. Je ne savais pas quoi faire de mon temps, j'étais incapable de rester calme, de contempler. Le silence de ma maison m'agressait. Aujourd'hui, il me dynamise.

8

Le malentendu

> Les certitudes d'aujourd'hui sont enracinées dans mes errances du passé, mon bonheur se nourrit de mes chagrins d'autrefois. Mes connaissances sont les fruits de mes propres expériences. J'ai tout testé moi même

Avant d'aller plus loin dans mes confidences, et pour que vous compreniez comment j'ai acquis l'essentiel de mon expérience, je voudrais vous raconter ma carrière de joueur dans ses grandes lignes. Je vous résume.

J'ai longtemps eu l'impression que ma vie avait vraiment commencé le jour où j'ai découvert le tennis. La passion m'a envahi comme un feu et très vite, ce jeu est devenu plus qu'un sport, le ciment de notre famille. Avec papa, maman, mes sœurs, on allait « au club ». Le tennis nous rendait heureux.

On est en 1968, j'ai huit ans et je suis « piqué »...

Dix ans plus tard. Je rencontre mon futur agent, Donald Dell*. C'est un homme d'affaires américain, immense, très sympa. Je bénéficie à ses yeux du soutien d'Arthur Ashe, ce qui m'ouvrira d'ailleurs toutes les portes aux États-Unis. Mon père est présent et je l'entends dire : « Quels que soient les termes du contrat, il y a une seule chose à laquelle je tienne, c'est que Yannick reste le même. » Je comprends que la voie que j'ai choisie comporte un risque, celui de devenir « différent ». C'est abstrait, mais quelque chose au fond de moi me tourmente.

1983. En gagnant Roland-Garros, j'atteins à vingt-trois ans l'objectif de ma vie. Et je découvre très peu de temps après (presque instantanément en fait) que ce que j'imaginais être « tout » n'est « rien » à mes yeux. Désillusion, incompréhension, décalage, malaise. Je vais droit dans le mur, j'ai l'impression que je vais en crever. Je pars pour New York où je profite de mon anonymat. Là-bas, personne ne me donne le bon Dieu sans confession. Ça tombe bien. En France, on m'accorde tous les crédits sans que j'aie rien eu à prouver sur le plan humain. On me demande simplement de grossir le rang des personnalités qui font rêver les Français. L'image se propage, futile, dérisoire. J'ai gagné Roland-Garros, donc je suis un mec super. Pas la peine de se prendre le chou. Je trouve ça débile, je le sais, je le dis, on m'accuse d'en faire toujours trop. Conférence de presse au Sofitel. Fameuse conférence de stress. Je bois des vodkas, je craque devant les micros, mélange de sincérité de déprime, de provocation et d'appel au secours. Et puis je disparais... Le malentendu est total. J'avais juste besoin de savoir ce que je valais *vraiment* et on me répond : « Laisse tomber, et profite de ta chance. » Quelle chance ? Une victoire *histo-*

rique à laquelle je n'ai rien compris, un mariage exprès, un divorce, deux enfants fabuleux, une carrière inachevée, une vie chaotique. Toujours en retard aux rendez-vous, jamais de temps savouré...

Je rêve de nager en souplesse, de me fondre dans l'eau, de surfer sur le bonheur, mais rien à faire, je me débats, je me fatigue, juste pour ne pas couler. Si quelqu'un coule à côté de moi, saurai-je le sauver ? Peut-être, peut-être pas...

1991, alors que je décide de mettre en douceur un terme à ma carrière — parce que, décidément, mes enfants préfèrent encourager mon adversaire pour qu'on finisse au plus vite et qu'on quitte le club de tennis —, la découverte du yoga transforme fondamentalement ma perception de la vie. Je m'aperçois que j'aurais pu jouer au tennis dans le plaisir et la détente mais, ignorant ces choses-là, j'ai joué en force et avec férocité. Je commence à me régaler avec la musique. Et surtout, je commence à me détendre. Je saisis l'occasion qui passe de devenir capitaine de l'équipe de France de Coupe Davis. Je viens de me réconcilier avec Philippe Chatrier* par le biais de Gil de Kermadec*, un homme qui symbolise les relations privilégiées que j'ai conservées avec quelques-unes des personnes qui m'ont connu très tôt. Un sourire nous suffit, on s'aime bien depuis si longtemps. Gil possède une extraordinaire culture du tennis, qu'il présente comme un « art martial occidental ».

Le président me propose donc le siège de capitaine, ce qui est franchement osé, compte tenu des habitudes de la maison. Mais il pense que je suis l'homme de la situation et, de mon côté, je sens que je ne peux qu'être bon dans ce rôle. Voilà comment, de joueur, je suis passé au statut d'« éducateur », comment j'ai trouvé ma direction. Ma vie a suivi un enchaînement chaotique mais je n'ai jamais perdu le fil de l'histoire. Rien de ce que je possède à ce jour n'est étranger à tout ce que j'ai vécu.

À la « magie Noah » qui fascine tant les médias, je suis obligé d'opposer une vision moins romantique de la réalité, un aspect plus douloureux aussi.

Mon approche du sport et de la vie, je la dois à des années et des années passées à essayer de répondre à ces questions : « À quoi sert un champion ? Pourquoi le sport me paraît-il tantôt infiniment grand, tantôt si dérisoire ? Où se situe mon équilibre ? C'est quoi le bonheur ? Comment donner un sens à ce que je fais ? »

Longtemps, le travail, le jeu, les voyages, les séductions comblaient mes journées et mes nuits, mais il m'était impossible de m'en contenter. C'étaient des biens matériels qui ne satisfaisaient pas mon cœur. Rien dans cet amoncellement de richesses ne me donnait le sentiment d'avancer vers un but, de suivre le chemin de l'épanouissement. Il me manquait le ciment, la colle, de quoi construire mon embarcation. J'étais comme prisonnier de ma vie parce que, tout simplement, il me manquait l'essentiel : la connaissance de moi-même. Je me devinais, je m'imaginais, mais je ne me connaissais pas. Comment organiser son propre bonheur quand on ignore les mécanismes qui nous font agir toujours dans le même sens ? Répéter inlassablement les mêmes erreurs, comme si on n'avait jamais compris la leçon ? Il n'y avait aucune connection durable entre ma tête et mon cœur. En tout cas pas quand je le voulais.

Parfois le hasard permettait cette connection, j'avais alors une impression d'harmonie, de plaisir, d'intense relation entre mon esprit et mon corps, c'était « l'éclate », mais c'était toujours éphémère. Aujourd'hui, je suis « en contrôle ». Je contrôle mon destin. Chacune de mes actions me sert d'expérience, de confirmation. Ma vie est un immense champ d'expérimentation. Mon existence est devenue comme un jeu dont la règle est l'authenticité dans l'action. Éviter de faire un truc qui ne me ressemble pas. Et j'avance. Des choix se présentent à moi : il y a ceux qui entrent naturellement dans le « jeu », d'autres qui n'ont rien à y faire. C'est devenu clair pour moi. Ça ne l'a pas toujours été. Durant ma carrière de joueur, je n'ai vécu qu'avec du bric et du broc, engrangeant des morceaux de bonheur fugitifs qui ne remplissaient jamais longtemps ma vie, qui n'étanchaient jamais ma soif, qui ne m'aidaient pas à mieux vivre avec les autres en continu.

Du moins cette carrière, que forcément je trouve pauvre a posteriori, m'aura permis d'aller au bout d'un système dont je sais désormais qu'il ne peut pas fonctionner. Cette certitude est déjà très utile. Je peux témoigner. Je suis allé au bout de moi-même, au bout pour aller chercher le plus d'argent possible, au bout pour chercher gloire et reconnaissance, au bout pour être le meilleur joueur de tennis possible, au bout du seul modèle de vie que j'avais à disposition. Je n'ai pas de regrets car c'était un passage obligé pour me permettre de déboucher dans la clairière qui sert à présent de cadre à ma vie.

9

L'apprentissage

Le jour où j'ai constaté que le fait d'être joueur ou pas ne changeait rien à l'opinion que j'avais de moi même, j'ai décidé de trouver un moyen de m'aimer.

Quand j'ai décidé de marcher vers le succès, il y avait face à moi deux belles routes. J'en ai pris une, celle qui paraissait la plus rassurante, je l'ai suivie jusqu'au bout. C'était une impasse. Parfois je doublais des gens pour aller plus vite, sûr d'être dans la bonne voie, parfois je me doutais qu'elle ne menait nulle part, mais je ne savais quoi faire. Demi-tour ? Pour aller où ? Parfois je rencontrais des gens marchant en sens inverse, qui m'assuraient que j'étais engagé dans un cul-de-sac, mais je ne voulais pas les écouter. Et puis j'ai fini par comprendre.

Mais ne me demandez pas de vous raconter le jour où : « Révélation ! J'ai vu la lumière ! » Parce que ce n'est pas comme ça que ça fonctionne.

Imaginez plutôt un jeu de construction pour les mômes. Une maison en Lego. Votre édifice est bancal mais contre toute logique vous poursuivez votre œuvre, trop impatient de poser le toit. Et quand ce moment arrive, soit vous le posez et tout s'écroule, soit la réalité de l'échec s'impose à vous, vous admettez que votre travail n'a pas été suffisant pour réussir votre entreprise et alors, quoi qu'il vous en coûte, vous acceptez d'enlever une à une toutes les pièces branlantes. Vous faites le chemin en arrière jusqu'à ce que les bases de votre future maison soient saines. Même s'il faut pour cela revenir à la case départ. Et là seulement, vous pouvez commencer à bâtir l'édifice de vos rêves.

C'est exactement la démarche que j'ai accomplie. Le mode de pensée sur lequel j'ai fondé mon travail. Jamais je n'ai donné un grand coup de pied dans le jeu. J'ai enlevé quelques pièces, j'en ai remis d'autres, toujours plus exigeant. Plus on se leurre, plus on s'enfonce dans ses illusions et plus il faut de temps pour revenir. Mais qu'importe, car celui qui a dû mettre sa maison complètement à plat, celui qui a dû repartir de zéro, a pris conscience de la force de caractère qui sommeillait en lui, et cette force, il sait qu'il pourra l'utiliser au moment de poser le toit sur les murs. Aussi, quelle que soit l'ampleur du « désastre », l'important est seulement de le reconnaître et de se reconstruire.

Tout au long de ma carrière, j'avais au fond de moi le sentiment que le fait de bien taper dans la balle, de remporter des victoires n'était qu'une façade. Que derrière, il y avait autre chose. Quelque chose de vital. J'avais une idée du champion beaucoup plus noble que celle dont les gens semblaient se contenter.

Arthur Ashe était à mes yeux l'exemple de cette noblesse. Depuis, son histoire terrestre s'est interrompue, la mienne continue dans une direction que j'ai choisie librement et je le retrouve à la croisée de certains chemins.

Il y a quelque temps, j'ai visité dans Soweto un club qu'il y avait fait construire. Les bâtiments sont très endommagés mais j'ai l'intention de le rénover, avec l'aide de John McEnroe*. D'Arthur Ashe, je garde une formule qui m'accompagne dans la plupart de mes entreprises : « Quoi que tu choisisses de faire, fais-le bien. Ou renonces-y. »

La dernière fois qu'il m'a donné ce conseil, c'est au moment où j'ai arrêté le tennis.

Une période clé dans ma vie. 1991. J'arrête de jouer. Ma première constatation ? Étrangement un soulagement profond. Et puis cette évidence : si ne plus jouer me fait tant de bien, c'est que jouer me faisait du mal !

Qu'est-ce qui m'avait amené à ne plus aimer le jeu, moi qui l'avais adoré, moi qui lui avais consacré toute mon énergie ? C'était intéressant parce que je pressentais que cette fois mes pensées allaient me conduire vers une véritable connaissance de moi-même. Donc, vers une forme de bonheur.

Un moyen d'être aimé pour ce que j'étais réellement et non pas pour ce que je représentais. J'ai senti comme un besoin impérieux de m'accepter, et de corriger ce que je n'aimais pas en moi. J'ai en quelque sorte commencé à faire véritablement connaissance avec moi-même. D'abord timidement et puis, avec le temps, j'ai fini par mieux me comprendre, à mieux capter mes désirs authentiques. Par exemple ce besoin que j'avais de donner aux plus faibles.

Petit à petit, j'ai pu mettre le doigt sur mes manques, sur mes blessures, mes mauvaises habitudes. Ainsi j'ai pu m'apprécier au lieu de me rejeter et naturellement, j'ai commencé à apprécier les autres. Le processus d'un art de vivre simple et vrai, tel que je l'avais toujours espéré, s'est mis en marche.

Je me suis aperçu combien mes repères étaient faux. Mes critères d'amour étaient ridicules. Je ne veux même pas en parler tellement ils étaient bidons. Tout était dans la vitrine. Si peu dans les stocks !

À présent je sais à peu près où j'en suis. Je suis éducateur et je donne. Parce que la vraie richesse est dans le don. Je donne et je reçois. J'ai ce privilège. C'est un échange. Pour mieux donner, je cherche chaque jour à m'améliorer, à me renforcer, à mieux me connaître. Pour mieux comprendre les autres.

La plus grave blessure dont j'ai souffert s'est ouverte un peu avant que je ne gagne Roland-Garros. Je l'ai retrouvée béante après la victoire. Elle est restée longtemps en moi telle quelle parce qu'il n'y avait pas de remède. Rien que je connaisse qui puisse la faire cicatriser. Autour de moi des gens essayaient de m'aider, mais je me sentais vulnérable, faible.

Heureusement qu'à ce moment-là j'ai été relativement « protégé ». Je vois certains champions vivre cette espèce de dédoublement de la personnalité entre personnage public et personnage privé, et je me dis que, s'ils ne sont pas « protégés » comme je l'ai été, ils risquent de morfler. Personnellement, un instinct de survie m'a poussé à me réfugier dans la bulle, puis quand je me suis senti prêt à affronter la réalité, je l'ai percée. Très prématurément. J'avais tout juste trente ans. J'aurais pu continuer à jouer, mais j'ai préféré interrompre ma carrière, comme impatient de me lancer dans la « vraie vie ».

J'ai commencé à m'accepter sans raquette. À ressentir une impression de stabilité. Je me suis dit : « Merde, mais je m'aime bien sans raquette ! » Ce fut un véritable soulagement. Je ne me laisserais donc pas enterrer vivant !

10

Bonheur = bon entraîneur

C'est le fait d'être bien dans
ma vie d'homme qui o fait
de moi un capitaine décent
et surtout pas l'inverse.

À partir du moment où j'ai arrêté de jouer sur le circuit, j'ai commencé à regarder les gens différemment. Débarrassé des contraintes de la compétition, j'ai eu immédiatement de meilleures relations avec les personnes que j'aime. Petit à petit, j'ai cessé de m'éparpiller, de me disperser, de papillonner, de faire semblant d'être là. Je me suis centré sur un objectif : échanger un peu de moi contre un peu des autres. J'ai tenté de canaliser mon énergie et ça m'a pris du temps. Parce qu'on ne passe pas du rez-de-chaussée d'une maison au deuxième étage sans passer par le premier.

Pour devenir un bon mari, un bon copain, un bon capitaine, j'ai grimpé chacune des marches de l'escalier. Avant, je souffrais du syndrome de l'escalier. J'aimais tant ce qui s'y passait qu'une fois à l'étage, mon esprit était déjà ailleurs parce que l'accomplissement ne pouvait jamais tenir ses promesses. Maintenant, mon escalier ne me fait plus peur ni ne me déçoit. J'ai l'impression qu'il mène à la lune !

Je tiens absolument à dire que je ne suis pas heureux parce que je suis devenu un bon éducateur. Mais que je suis devenu un bon éducateur parce que je suis heureux. C'est le fait d'être bien dans ma vie d'homme qui a fait de moi un capitaine décent. Et surtout pas l'inverse !

De même c'est parce que je n'étais pas un homme accompli que je n'ai pas été un Athlète avec un grand A. Un athlète intérieur.

Ce livre que j'écris, j'aurais tellement voulu pouvoir le lire quand j'étais ado ! Tant pis, aujourd'hui ces lacunes me servent de liant pour faire monter la sauce. Si les joueurs dont je m'occupe jouent bien quand on est ensemble, c'est d'abord parce que, l'espace du temps que l'on partage, j'essaie de les aider à organiser leur équilibre. Je ne serais sûrement pas si soucieux de leur épanouissement si je n'avais pas tant galéré moi-même.

Cette notion est fondamentale dans mon travail. J'en ai acquis la certitude quand nous avons gagné la finale de la Coupe Davis en 1991. À l'époque, l'équation : « bonheur = performances », à opposer au classique « performances = bonheur » tambourinait dans mon cerveau sans que je puisse en mesurer la portée. Il me fallait des preuves pour pouvoir étayer ma théorie.

Or la finale de Lyon contre les Américains m'a apporté la confirmation que j'attendais. C'est bien dans l'épanouissement total de leur être, après un travail méthodique de l'esprit et du corps, que les joueurs se sont présentés au maximum de leurs possibilités, prêts à battre les deux meilleurs joueurs du monde. Cette fois, j'étais dans le vrai. Je l'ai su avant même que la rencontre ne se termine. Étant allés au bout d'eux-mêmes, ils n'auraient quoi qu'il arrive aucun regret et, dans ces conditions, même une défaite n'aurait pas ébranlé mes certitudes. Victoires, défaites, quelle importance quand on sait qu'on a acquis le bon état d'esprit ? Il suffisait de patienter, la « récompense » ne tarderait pas à venir.

Après cette confirmation retentissante, j'ai éprouvé le besoin d'approfondir les choses, de multiplier les expériences. Mais j'ai bloqué. Je ne me connaissais pas encore assez moi-même pour faire du bon travail sur les autres. J'avais eu la chance de travailler avec des joueurs que je considérais presque comme mes frères, mais je ne rendais compte que, face à des joueurs moins proches, je n'aurais peut-être pas la même efficacité.

Car ce qui importe n'est pas tellement ce que je dis, mais ce que le joueur perçoit. Et pour bien me faire comprendre, il me fallait être capable d'exprimer mes idées de dix manières différentes. Donc de continuer à m'améliorer moi-même.

Aujourd'hui, les situations sont plus complexes. Travailler avec Pioline*, par exemple, n'a pas été aussi facile pour moi que de travailler avec Forget* ou Leconte*. Il a fallu que je fasse du chemin pour arriver jusqu'à lui.

De même j'ai accepté de prendre la responsabilité de l'équipe de la Fed Cup. Je sais pertinemment que travailler avec des filles est différent, qu'on ne parle pas à Mary Pierce* comme on parle à Julie Halard* ou à Nathalie Tauziat* ; mais je suis prêt, je ne crains pas ces situations, je sais que mes connaissances me permettront de m'adapter. Car si chaque athlète réclame une petite mise à niveau tout à fait personnelle, le travail que j'ai à faire demeure toujours sensiblement le même.

Cette démarche s'adapte à tous les types de situation. Je n'approuve pas du tout la restriction exprimée dans un article paru au lendemain de la victoire de l'équipe de France sur la Suède à Malmö : je serais une espèce de

« super-manager », dont les talents seraient forcément limités au sport. Diriger Rhône-Poulenc n'est pas tellement « supérieur » au fait de manager une équipe de Coupe Davis ! C'est pa-reil ! Par-delà les spécificités, il faut être capable d'utiliser toutes les compétences pour amener chaque membre de l'« équipe » à son meilleur niveau, et cela à tous les postes, du plus en vue au plus modeste. Capable de créer chez chacun d'entre eux l'envie d'aller au bout de lui-même POUR les autres.

Franchement, si à la place d'une raquette j'avais eu un diplôme entre les mains, si au lieu d'intégrer Roland-Garros, j'avais fait l'ENA, diriger Rhône-Poulenc au lieu de l'équipe de Coupe Davis ne me ferait pas peur.

Il faut toujours garder l'idée que chacun de nous a le choix, et peut réaliser des objectifs très élevés.

Le secret — et c'est pour cela que j'aimerais que les jeunes soient nombreux à lire ce livre —, c'est d'arriver à définir ses priorités suffisamment tôt pour se donner les moyens d'agir (études, apprentissage), et surtout éviter de se laisser envahir par le doute, les complexes qui obscurcissent le champ de vision et limitent les ambitions. Je reste persuadé que les problèmes des P-DG de grandes ou petites sociétés avec leurs collaborateurs sont exactement identiques à ceux que je rencontre avec les joueurs de l'équipe de France. Dans la vie de chacun d'entre nous, les décors sont différents, il y a plus ou moins de personnages dans l'histoire, mais le scénario pourrait s'écrire de la même manière pour tous : une envie, un espoir, un but, des aspirations (chacun a son langage) à atteindre, une dynamique pour s'y rendre, et des freins qui vous en empêchent. Comment faire ? Définir clairement l'objectif en énonçant les bonnes motivations, et relancer la dynamique en éliminant les zones de frottement, les unes après les autres, grâce à un vrai travail sur soi-même. Ça ne doit pas être plus compliqué chez Rhône-Poulenc qu'ailleurs !

11

Mon management

> Une equipe est une bande
> de " Guerriers" avec un code
> d'honneur et un but sacré.

Toute entreprise capable de développer la joie de vivre
« autour de la machine à café » peut s'assurer le succès
et, à mon avis, obtenir des résultats infiniment supérieurs
à celles qui font marcher leur personnel à la baguette. J'ai
accepté récemment d'animer des séminaires d'entreprises.
Déjà j'ai trouvé que la démarche des responsables était
très sympa. Le fait de chercher par mon intermédiaire à
mobiliser l'énergie des salariés d'une manière originale
m'a bluffé. De mon côté, cette expérience m'a permis de
vérifier que ce que je savais du sport était transposable,
même dans la forme (car sur le fond, j'en étais déjà sûr),
à un discours de management.

J'avais préparé quelques notes sur des grands thèmes
majeurs et puis finalement je me suis lâché. Mon discours
est devenu tout à fait spontané et, je crois, accessible.

J'ai commencé par expliquer la dynamique qui mène à

la victoire, et en préalable la nécessité absolue d'envisager l'échec et d'en accepter le risque. La défaite est la
plus grande source d'inspiration. Pas de victoire possible
sans droit à l'erreur. Le refus du droit à l'erreur crispe
automatiquement le candidat au succès. C'est simple et
peut-être évident, mais je connais trop de gens qui ne
s'accordent pas le droit à l'erreur pour ne pas marteler ce
principe de base.

Privilégier les rapports humains est essentiel. Il faut
bien se connaître et se respecter pour pouvoir vivre ou
travailler ensemble. C'est valable dans une entreprise,
dans une équipe ou dans une famille.

Il faut transformer le travail en exercices de travaux
pratiques destinés à améliorer vos qualités. Il ne faut pas
penser : « Je vais perdre huit heures précieuses de ma vie
au boulot », mais : « Grâce à ces huit heures, je vais pouvoir développer telles et telles choses qui feront de moi
un homme plus riche ce soir. Ma femme s'en apercevra,
mes enfants seront fiers, je pourrai leur faire partager mes
expériences, etc. » Pas question de scléroser, d'isoler
deux mondes, le social et le privé, même si, bien évidemment, on doit se consacrer à cent pour cent à ce qu'on
fait, au moment où on le fait.

Comment protéger l'énergie vitale intérieure du
groupe ? Les seules personnes qui comptent sont les
membres de l'équipe (l'équipe de France pouvant fonctionner comme une entreprise et vice versa). Toute autre
personne est par définition étrangère et n'a pas à participer à la vie du groupe. Encore moins à donner son avis.
Le cercle n'est composé que des personnes qui ont une
fonction bien définie par le responsable et bien acceptée
par les autres membres. Si le responsable constate qu'il y
a un malaise au niveau de la fonction d'un des membres,
soit parce que celui qui l'occupe a des problèmes, soit
parce que les autres ne l'acceptent pas, il doit très vite
chercher à rétablir l'harmonie dans le fonctionnement.

Je me suis servi de ma propre expérience : « L'entraînement (la période préparatoire à une échéance) est le
moment où nous nous lions. L'entraînement n'est pas une
corvée à laquelle nous cherchons à échapper. Au
contraire, l'entraînement est un moment de détente à travers des exercices originaux et des rituels. L'objectif est
de reconnecter le joueur (le salarié) avec les simples joies
du jeu (les fonctionnements de base de l'entreprise). Ce
sont les meilleurs moments de la vie de l'équipe, et les
plus sains, ceux où elle a l'impression de prendre son
destin en main. Quand les entraînements sont joyeux et
toniques, on a hâte d'entrer dans la compétition pour les
mettre en pratique.

Le symbole de la bonne vibration qui fait gagner une
équipe et perdre une autre, c'est l'instant où l'amour se
mêle à la prouesse technique. Nous (l'équipe de France)
avons connu ça, les Barjots ont connu ça, et sûrement les
Brésiliens en finale de la dernière Coupe du Monde de
foot. Le Brésil *devait* gagner. Pour Senna*, pour les
pauvres. Pour Dieu. Pour la justice. Vous souvenez-vous
des tirs au but ? Chaque fois qu'un Brésilien se présentait
devant le ballon, il pouvait regarder les autres, ils étaient
unis, main dans la main, tous avec lui. Ils avaient l'air de
dire à celui qui subitement devait se sentir si seul : « Ne
n'inquiète pas, on te fait confiance. Si tu rates, on saura
te le pardonner. » Une inspiration de Rai*, je crois, quel
beau joueur ! Quel magnifique esprit !

Je suis persuadé que si Baggio* dans l'équipe adverse,
a été le premier à rater le penalty, c'est qu'il avait besoin
de soutien et qu'il ne l'a pas trouvé sur le terrain.

« Foutaises ! » diront ceux qui ne voient dans le geste
sportif que la position d'un pied ou l'angle d'un tir. Mais
si mon impression est fausse, j'aimerais qu'on m'explique
pourquoi un des meilleurs tireurs de penalties du monde
a tiré en l'air à une finale de Mondial. Oui, pourquoi ? La
pression ? Ah, bon ! La malchance ? Mais alors à quoi

cela servirait-il de travailler comme un fou furieux pendant des mois pour se faire cueillir à la dernière minute par la malchance ?

Voyez-vous, je ne crois pas à l'intervention de la malchance dans l'échec de Baggio. Je crois à une explication beaucoup plus rationnelle. Baggio, très fort joueur de football italien, était friable émotionnellement quand il est entré ce jour-là sur le terrain et dans une situation extrême comme seul le sport peut en générer. Et s'il était friable, c'est parce qu'il sentait que les siens (ses coéquipiers) n'étaient pas *avec* lui, mais *contre* lui au moment de tirer le penalty. Alors, son hypersensibilité l'a conduit à faire pencher — inconsciemment — la balance du côté de l'histoire. Du côté des grands sentiments. Du côté du bon sens exprimé par les Brésiliens.

Un groupe, ça se soude dans la vraie vie. Pas seulement sur un terrain d'entraînement.

Vous souvenez-vous de la manière dont les Brésiliens ont monté les escaliers de la tribune où ils ont reçu leur trophée ? Ils se tenaient toujours par la main. C'était fini et pourtant, ils ne pouvaient se résoudre à se quitter.

À propos de la France, pays organisateur de la Coupe du Monde de foot en 1998, j'ai envie de faire cette remarque : l'équipe de France ne gagnera l'épreuve qu'à condition que tout le pays pousse derrière elle. Si la population est indifférente, et si la presse est hyper-négative comme elle sait souvent l'être, la « bande à Jacquet » va instinctivement se protéger et s'isoler pour survivre. Cela lui donnera certes une force, mais elle se privera alors de la fantastique énergie dont l'équipe du Brésil avait bénéficié il y a trois ans et je crains que l'équipe de France n'ait pas à elle seule l'énergie d'aller au bout en rebelle. Aussi, je pense que, dès maintenant, il faudrait organiser la connexion entre le peuple français et l'équipe, via une communication bon esprit, pour créer un courant de solidarité totale, un climat de confiance, de soutien et d'amour, sans lequel les joueurs ne pourront s'imposer. Aujourd'hui, c'est simple, soit on la joue positive, on s'enthousiasme et on a une chance de vivre un moment fabuleux tous ensemble, soit on la joue négative, on cherche la petite bête, on critique tout, et quand l'équipe se plantera, on aura de quoi déblatérer sur ces sportifs trop payés, na, na, na nananère. En France, c'est quasiment devenu un sport national.

Mais revenons au fonctionnement interne d'une équipe.

La valeur de l'exemple à l'intérieur d'un groupe est capitale. Dans la recherche d'une performance élevée, un rien a son importance. Aussi l'influence positive ou négative d'un des membres peut-elle se révéler déterminante. Une salle non-fumeurs ? Tout le monde se détend, profite de la pureté de l'atmosphère. Au fond, quelqu'un a allumé une cigarette : tout le monde se crispe. Certains se souviennent qu'ils en grilleraient bien une, la concentration disparaît... Idem pour l'alcool. Quand par hasard (c'est rare), l'un des membres de notre équipe arrive à table avec un verre de vin à la main sous prétexte que son écart ne nuit en rien à son propre travail, ça me rend furax. Car il bafoue le code de l'équipe et ça me gêne beaucoup.

Un groupe s'unit autour de représentations symboliques. Un effort partagé, des sacrifices unanimement consentis, le respect d'un engagement moral et collégial, tout cela exprime LA solidarité. Pas question de se dire : lui craque, mais moi je tiens bon. Il faut que tout le monde tienne bon. Sinon, vous cumulerez un certain nombre de talents personnels, mais vous ne créerez pas de synergie. Or l'exploit ne peut naître que d'une synergie.

L'équipe (l'entreprise) ne joue (travaille) pas *pour* le public (la clientèle), ni *pour* les médias (la concurrence). Elle joue *pour* le cœur de l'équipe. Toute personne susceptible de salir le cœur de l'équipe, de porter atteinte à l'authenticité de sa démarche, d'entraver sa volonté par un travail de sape, doit être gentiment reconduit à la porte.

Enfin chaque équipe peut se choisir des slogans, véritables cris de guerre libérateurs, qui paraîtront peut-être un peu simplistes aux gens extérieurs au groupe, mais que le groupe utilisera avec bonheur. Du style : « Travaille dur, Travaille honnêtement, Travaille maintenant. »

Je ne conçois pas le boulot autrement que dans la joie. Je ne crois pas à l'effort pour l'effort. Je crois à l'accomplissement des rêves. Et à l'éducation qui permet de survivre aux premiers succès. Aux lendemains de fête aussi !

12

La gloire et l'épreuve

> La plupart des gens pensent que ce qu'il y a de plus interessant dans la vie d'un champion c'est tout ce qui lui arrive APRÈS son heure de gloire. Non, ce qu'il y a de plus interessant c'est ce qui ce passe AVANT

Le jour de gloire ? Ceux qui le recherchent s'en font un fantasme. Ceux qui l'ont vécu savent qu'il se résume à quelques instants vertigineux, une sorte d'orgasme à retardement. Une secousse émotionnelle, un séisme de bonheur, un cataclysme de sensations inédites, mais rien qui assure le bonheur à perpétuité.

Je peux même témoigner du fait que la gloire, parfois, ne se prolonge même pas une nuit ! C'était à Bayonne, début des années 80. Peut-être même 1980 tout rond. J'ai vingt ans... J'arrive au club pour disputer le premier tour du National (le championnat de France) et je tombe en arrêt devant cette voiture exposée à l'entrée par le concessionnaire Ferrari. Une 308 décapotable d'occase, jantes spéciales et tout, et tout ! Une merveille. « Si je gagne, je pars avec la voiture ! » me dis-je intérieurement.

Je passe un tour, deux tours, trois tours. En demi-finale, je commence à demander combien elle coûte, si elle est disponible immédiatement et puis je termine, je gagne, j'achète, et dix minutes après je suis sur l'autoroute pour regagner Paris dans la nuit. Je suis heureux, mais heureux comme jamais, j'ai la musique à fond, je suis tranquille à 160 kilomètres/heure et puis d'un seul coup, panne d'alternateur. Plus rien : plus de moteur, plus de lumière, plus de musique. Rien. Il est 1 heure du mat', je me range sur le bas-côté et là, je flippe. Parce que là, c'est plus du tout pareil. L'ordinaire a massacré la magie du moment. Il y a cinq minutes, j'étais une star, un héros, et là je sais très bien quelle allure je peux avoir, je suis un pauvre con sur le bord de la route, un grand Black dans la nuit en train de faire du stop devant une Ferrari mal garée. Les automobilistes ? Ils accélèrent quand ils arrivent à ma hauteur. J'ai rallié le Novotel d'Angoulême à pied, et quand je me suis allongé sur le lit, je ne me suis pas pris la tête. Je me suis juste dit que la gloire, c'était bien, mais quand même très aléatoire. Une belle leçon à peu de frais, n'est-ce pas ?

La vie, l'amour, la mort rient de la gloire. La gloire n'est qu'un prétexte pour embrasser ses contemporains dans des torrents de bons sentiments. L'espace d'un moment, les masques tombent, les hommes ne pensent qu'à partager.

Une image me revient : les vestiaires du PSG après la

victoire sur le Rapid de Vienne en Coupe d'Europe de foot 96. Au milieu du délire, un homme est en larmes : José Cobos*. Larmes de joie, larmes de tristesse parce qu'il n'était pas sélectionné. Donc pas dans l'histoire, pas en tenue officielle. En marge de la gloire, quoi. Regard de Youri Djorkaeff*, envie de donner. Il tend sa médaille à Cobos, un geste plein de sincérité. L'autre n'ose pas la prendre... Scène d'amour. J'adore l'émotion que le sport génère.

Plus le nombre de personnes qui « participent » à l'épreuve est important, plus la joie de leur offrir le bonheur qu'ils espéraient est fort. Je n'oublierai jamais l'écho du public de Lyon. À Malmö, le fait de voir tous nos supporters dans les tribunes, de savoir que la plupart des Français étaient restés devant leur télévision jusqu'au bout a décuplé notre joie. On a eu conscience de détenir, à un moment donné, le pouvoir de soulever le monde, de le bousculer un peu, de faire du bien aux gens, de créer de grands et beaux souvenirs. De donner un peu d'air, un peu d'espoir. C'est ça la gloire. Si belle, si rare. Éphémère.

Dans un exploit, seul le travail réalisé en amont est déterminant pour la suite de la vie d'un champion. Ce sont toutes les valeurs qu'il aura intégrées en recherchant la gloire qui l'aideront à bâtir son bonheur au milieu des « gens normaux ». C'est le goût du travail bien fait qui la conduira à être un bon manager, un bon éducateur, un bon dirigeant, tout simplement un bon « mec ».

À l'inverse, s'il s'imagine que sa minute de gloire lui servira de sésame pour le « grand » monde, de passeport pour un univers enchanteur, s'il envisage sa célébrité comme unique raison de vivre, il court à sa perte. Certes, la gloire permet de marquer les esprits. Et même éventuellement d'être invité à des spectacles et de faire sauter des PV. Chaque fois que quelqu'un vous sourit, vous sentez qu'il vous dit quelque chose comme « merci de cette part du gâteau que vous m'avez offerte » et bien sûr, ça vous fait toujours aussi chaud au cœur. Mais vous ne pouvez pas revenir inlassablement en arrière, repasser la vidéo en boucle. Car la réalité reprend vite le dessus. La télévision en est la première preuve. Observez le faisceau des caméras : au moment de la victoire, il y a comme un choc, comme si le temps était suspendu, il y a même une espèce de silence qui fige l'assistance, puis ça bouge, ça crie dans tous les sens ; où qu'il se pose, l'objectif montre de l'émotion, du soulagement. du bonheur à l'état brut, comparable en intensité à nulle autre aventure humaine.

Même le cinéma a du mal à recréer une atmosphère pareille. Mais les précieuses minutes s'écoulent et la caméra, déjà, part à la recherche des « miettes » de ce bonheur qui insensiblement se fond dans le passé. Les clameurs s'estompent. Les visages sont blêmes. Le festin touche à sa fin, les premiers invités quittent la scène. Bientôt on rendra l'antenne. Il y aura les pubs... Et voilà, cette fois c'est fini. Fini. Rideau.

Ce soir, il y aura la fête, on reparlera des grands moments, des doutes, on échangera des aveux, des confidences... Il y aura de l'amour et beaucoup de joie. Mais celui qui ne trouvera pas un autre objectif à atteindre, une manière d'orienter sa vie vers un autre avenir restera prisonnier de son souvenir. Seul, et forcément incompris.

Je suis sûr que beaucoup de champions partagent le même point de vue que le mien. David Douillet*, au lendemain de son titre de champion olympique de judo, ne déclarait-il pas dans les colonnes de *L'Équipe* : « Hier, sur le podium en entendant *La Marseillaise*, j'ai pleuré parce que j'ai pris conscience que j'étais allé au bout. Au bout de tout. Quand tu t'es donné comme objectif de gagner les jeux Olympiques, sportivement, tu as tout réussi. Je suis comme ces explorateurs qui croyaient que la terre était plate. Ils ne sont jamais allés au bout pour vérifier. Moi j'y suis allé. Au bout, il n'y a rien. C'est le vide. Et ce sentiment est d'une ambiguïté terrible. Il y a à la fois la joie de la victoire, du moment présent, mais il y a aussi la sensation d'aboutissement. Derrière, soudain, il n'y a plus rien. C'est très fort, c'est un peu triste aussi. »

J'aime ce passage parce qu'il représente à la fois la médaille et son revers. La réalité dans sa globalité. Pas seulement un symbole, ou une illusion. Du vécu ! Parce que derrière des paroles un peu déroutantes, Douillet démontre qu'il est conscient des limites de sa gloire sur le plan humain. La force est bien en lui et pas dans un bijou en toc, serait-il plus précieux que de l'or. Par sa réflexion, il déborde déjà du cadre des photos des magazines, et des cartons d'invitation à l'Élysée.

L'athlète intérieur n'essaie pas d'apprendre à se détacher de la gloire. Il sait même en profiter. Il a simplement conscience du fait que la gloire fait partie du jeu sans en être le moteur. Le moteur, c'est sa propre énergie. C'est sa course vers l'objectif. C'est la (fameuse) montée de l'escalier.

C'est le rêve en passe de se réaliser. L'athlète intérieur a compris le secret du bonheur : il met le sport au service de sa vie. Et non sa vie au service d'un sport.

Trop d'athlètes traduisent ainsi leur existence en équation : sacrifices = résultats = gloire = bonheur. Le jour où ils ne sont plus en mesure d'obtenir de bons résultats, ils s'interrogent sur le sens des sacrifices.

Que faire de cette chaîne brisée par la force inéluctable de l'âge : plus de résultats = absence de gloire = absence de bonheur ? Certains n'hésitent pas à parler de « petite mort » ou de « première mort ». Quelle angoisse !

Il y a moyen de progresser dans son sport en progressant dans la vie. Il suffit d'utiliser chaque événement de sa carrière sportive comme une leçon. À vous de transposer votre comportement sur un terrain de sport à ce qui se passe dans votre quotidien.

Vous manquez de courage sur une piste ? Croyez-vous

sincèrement que vous n'en manquerez pas dans votre vie quotidienne ? Je suis persuadé que l'athlète qui est en vous est le reflet de votre âme. Que cet « athlète » détient de précieuses informations sur vous-même.

Il y a plusieurs mois, j'ai joué contre McEnroe dans un tournoi de vétérans à Los Angeles. J'ai perdu assez sèchement parce que j'ai manqué de puissance, d'endurance mentale. Je ne me suis jamais concentré durablement, et j'ai pris l'option la plus facile : émotion, rigolade avec le public, ce qui évidemment m'a privé de toute possibilité de faire un « vrai » match contre John.

Le lendemain, lorsque je me suis réveillé, je ne me suis pas senti bien vis-à-vis de moi-même. Ma conscience m'indiquait clairement que je n'approuvais pas mon comportement. Je tentai de me défendre : les gens ne s'étaient-ils pas bien amusés ? N'en avaient-ils pas eu pour leur argent ? Auraient-ils préféré assister à un vrai match ? Avais-je été un mauvais amuseur ? Bref, j'avais des arguments à faire valoir et, au fond, ma petite voix intérieure n'avait qu'à se taire. Seulement, si on peut (à tort) cesser de l'écouter, la petite voix, elle, ne vous lâche jamais. Bien obligé d'admettre que j'avais joué un rôle que je n'avais pas choisi. Il n'y avait eu aucune sincérité dans mon spectacle, mais seulement un trucage pour sauver une situation qui n'était pas à mon avantage.

Une fois ce constat établi, il a fallu transposer l'expérience dans ma vie courante. Je me suis interrogé. N'ai-je pas tendance à jouer sur mon pouvoir de séduction plutôt que de continuer à me cultiver ? Serais-je capable de convaincre avec des arguments bien pensés plutôt qu'avec un sourire ? Suis-je si fier de vivre sur ma fameuse « aura » plutôt que d'approfondir les choses ? Je me suis posé la question et je n'ai même pas eu à attendre la réponse. J'ai tout de suite su que j'allais rectifier le tir, continuer à me cultiver avec acharnement, pour m'améliorer intellectuellement.

C'est dans cette dimension que le sport est intéressant. Une connexion entre l'esprit et le corps s'établit. On se met à tendre vers le meilleur.

Cette défaite contre McEnroe m'a non seulement permis de me reprendre alors que je commençais à me reposer sur mes certitudes, mais elle m'a également mis face à mes lacunes physiques. Je n'étais pas assez bien préparé physiquement, j'avais négligé mon matériel, dans mes vieilles fringues, je ne m'étais pas senti beau... J'avais vraiment été très léger. Tous les signaux l'indiquaient. Petit à petit, j'ai tout remis en ordre et je me sens aujourd'hui beaucoup mieux. Grâce à cet épisode apparemment anodin, j'ai beaucoup progressé.

J'ai battu John peu après à Johannesbourg (ce qui l'a rendu fou furieux sur l'instant, mais je suis sûr qu'il va se servir de cette défaite pour progresser à son tour) ; quant à moi, j'ai remis le cap sur mon objectif.

Car mon but à long terme est de devenir un « bon vieux », en bonne forme physique, riche intellectuellement, épanoui émotionnellement. Un homme capable de respirer une fleur, de croquer dans une pomme, ou de descendre les poubelles dans une même sérénité. Capable d'atteindre l'illumination en coupant du bois ou en portant de l'eau, capable de me soumettre à toute activité avec une attention précise, moment après moment. Être zen.

Drôles d'histoires que cette vie-là

Mes premiers
Roland Garros,
avec tout le monde,
la famille, les dirigeants.

Entre Jean-Michel Bignoneau
et Patrick Harstein,
mon premier trophée à Yaoundé

Dans les bras,
la raquette
qu'Arthur Ashe
m'a donnée.
Je dormais avec

l'entraîneur, la presse

Vanille, chocolat,

caramel, détendez-vous!

j'ai tenu, j'ai

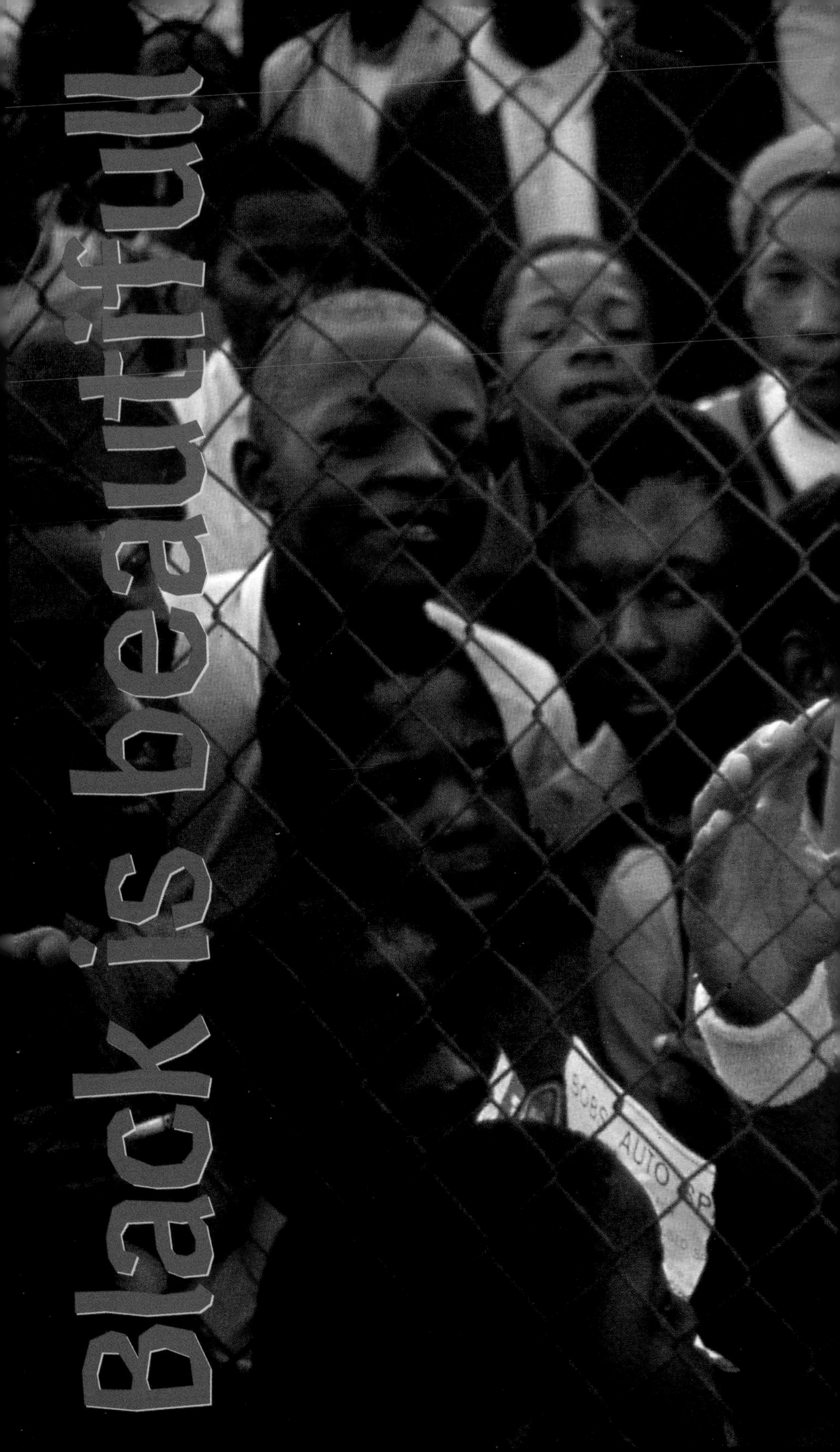
Black is beautiful

Joies, rigolades, jubilation, rayonnement, extase, enchantement, régalade, paradis, félicité, amitiés, complicités.

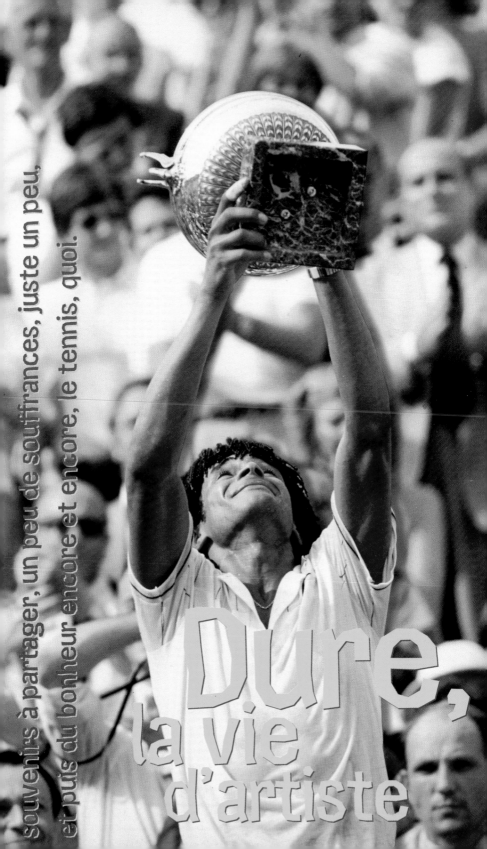

souvenirs à partager, un peu de souffrances, juste un peu, et puis du bonheur encore et encore et encore, le tennis, quoi.

Dure, la vie d'artiste

on pote !

Emancipate yourself from mental slavery

Bob Marley

13

La logique de la victoire

> J'ai juste cherché à soulager un copain car je trouvais injuste qu'il porte tout seul le poids d'une déception nationale !

Le répéterai-je jamais assez ? Quel que soit le sport pratiqué, quand les athlètes pénètrent sur le terrain le jour de la compétition, les jeux sont déjà faits. Rien de ce qui va se passer ne pourrait surprendre celui qui aurait pu assister en détail à la préparation de l'épreuve par chacun des adversaires.

Monica Seles* raconte qu'elle a pu lire dans le regard de ses fans une incompréhension totale quand ils la virent préparer une énième finale (victorieuse) en Grand Chelem, face à un père poussif qui avait bien du mal à lui renvoyer les balles. Elle avait envie de leur expliquer

qu'une chose comptait plus que le niveau de son sparring-
partner : sa propre détermination à faire exploser ces
balles, son ardeur à l'entraînement depuis sa petite
enfance, depuis l'époque où son père plaçait des peluches
aux intersections des lignes pour aiguiser à la fois son
coup d'œil, son désir de s'amuser, et son sens du mérite.

Monica raconte que lorsqu'elle entre sur un court, elle
n'est jamais sûre de gagner mais elle est tout à fait certaine de faire TOUT son possible pour gagner... « Sinon,
je n'irais pas », affirme-t-elle. Elle qui alternait les
séances d'entraînement à huis clos pour mieux se focali-
ser uniquement sur la balle, avec des séances au milieu
d'un parc public pour s'habituer à se concentrer devant
une foule particulièrement indisciplinée, puisait sa
confiance dans le souci du détail et un entraînement mis
en place sur papier millimétré. « Perdre me fait horreur.
Je ne suis capable d'accepter la défaite que si je peux me
regarder dans la glace et me dire : Monica, tu n'as rien à
te reprocher », confie-t-elle. Tête haute et esprit libre ! Je
suis certain que cette championne doit la plupart de ses
succès à l'acharnement qu'elle mettait à éliminer toutes
les sources de nuisances possible afin de donner son
maximum le jour J. C'est pour cela, j'imagine, que
l'agression dont elle a été victime fut si douloureuse psy-
chologiquement. Elle avait appris à tout maîtriser sauf la
folie humaine.

Depuis que je recherche la « logique de victoire », ce
que j'ai pu observer n'a fait que me conforter dans mes
convictions. Ma véritable expérience dans le domaine de
la préparation — outre la mienne en 1983 — c'est Henri
Leconte qui me l'a fournie en 1991. C'est à Saint-Jean-
de-Monts, alors qu'il était tout seul au fin fond d'un
centre de rééducation, avec un corps à moitié cassé et
pour unique leitmotiv une « possible, mais incertaine »
occasion de disputer la finale de la Coupe Davis, qu'il a
battu Sampras*. Ce n'est pas à Lyon qu'il l'a vraiment

vaincu, c'est là-bas, loin des projecteurs. C'est dans ses souffrances, dans ses doutes, dans ses rêves fous, dans son jovial désir de participer à la fête avant de tourner définitivement la page sur une carrière chargée d'autant de bonheurs que de frustrations qu'il s'est « reconstitué ». Ces épreuves ont fait de lui un monstre d'audace et de bravoure, un adversaire imbattable pour un Sampras marchant à l'ordinaire.

Je l'espérais et c'est arrivé ! Son enthousiasme a entraîné la dynamique de la victoire, comme Douillet a déclenché celle des Français aux J.O. d'Atlanta.

Forget, qui était parfaitement préparé physiquement, qui avait surmonté certaines barrières psychologiques grâce à son travail, s'est engouffré dans ce souffle pour finir lui aussi en apothéose. C'est leur mode de préparation qui les a élevés au meilleur niveau mondial. Et si cela n'a pas duré, c'est parce qu'on n'avait plus d'objectif auquel on ait tenu suffisamment pour se replacer dans des conditions identiques. Sauf Guy qui, par la suite, a produit un énorme effort pour revenir de la millième place (!) du classement ATP après son opération, et a participé de nouveau à l'aventure de la Coupe Davis en 1996.

Parlons-en, d'ailleurs, de cette finale à Malmö contre la Suède. Je ne peux malheureusement pas entrer dans les détails en ce qui concerne les Français car pour rien au monde je ne voudrais trahir les joueurs, mais ce que vous avez pu voir à la télévision n'est pas arrivé par hasard. Il y a une explication à chacun des épisodes qui ont marqué le déroulement de la rencontre et, au risque de paraître prétentieux, aucun n'a échappé à mon analyse.

Je n'ai rien à mettre sur le compte de la malchance ou du hasard. Heureusement, car c'est naturellement sur ce qui n'a pas marché que nous pourrons bâtir de futures victoires. Si tout le monde participe, bien sûr ! Pour prétendre gagner un match dans une finale de Coupe Davis, il faut être en mesure de réunir trois critères au jour J :

être le meilleur possible physiquement, mentalement et émotionnellement (nous verrons plus loin comment procéder). Le triomphe est allé à ceux qui avaient le mieux réussi à conjuguer ces trois forces et il n'y a pas eu de défaite non méritée. Pas de baisse de régime injustifiée. Rien d'inexplicable. C'est à la fois dur à accepter pour ceux qui les ont subies et plein de promesses de succès pour ceux qui ont envie de s'améliorer.

Les joueurs se sont retrouvés nus, face à une situation extrême, à la limite de ce qu'ils étaient potentiellement capable de supporter, et je pousse mon raisonnement jusqu'à la blessure de Stefan Edberg*. C'était « too much », il y avait une telle tension que quelque chose devait arriver, quelque chose devait « péter » pour soulever un peu la chape de plomb qui transformait la salle en cocotte minute. Ce fut la cheville d'Edberg qui céda. Sincèrement je pensais qu'il jouerait mal, qu'il raterait ses ultimes adieux. Ça sentait le match de trop. Ce fut pire. Pour la première fois en douze ans de carrière et pour son dernier match, il se tord la cheville contre Cedric ! Pourquoi ? Parce que ça fait un mois que ses compatriotes lui prennent la tête, l'empêchent de se comporter comme il en a l'habitude, c'est-à-dire de vivre dans la sérénité et la discrétion.

Autour de lui, tout grouille. Il déteste cela et n'y est pas préparé. Mais la situation est telle qu'il est obligé de se plier aux contingences. Une forme de politesse vis-à-vis de ceux qui l'honorent l'empêche de combattre. Il cherche à s'adapter mais y perd énergie, précision, confiance. Sur le court, dès le début, on peut voir qu'il n'est pas « dans son corps ». Ce qui le caractérise en tant que champion : l'équilibre du corps, la fluidité du geste, est absent de son jeu. Il s'apprête à faire une volée qu'il a répétée des milliards de fois, et là, subitement, il retombe comme il n'est JAMAIS retombé : crac ! Il aurait pu se faire juste une petite blessure, conserver une chance de participer à la suite de la rencontre, mais non. Son corps a réagi parce que son esprit a crié : « STOP ! »

Quant aux joueurs français, je dirais simplement que si Arnaud perd en trois petits sets contre Enquist le premier jour, et si Cedric cède à si peu de chose près face au même Enquist le dernier jour, c'est parce que quelque part, ils ont, nous avons « failli », durant la préparation. Ils auraient pu battre ce joueur. Les points qui leur manquent, on les a semés en route : quelques-uns le lundi, deux ou trois autres le mardi, encore une petite poignée le mercredi, etc. Je ne dévoilerais pas comment nous les avons perdus, mais je ne serais pas leur pote, je ne serais pas un bon éducateur si je disais à l'un : « Enquist était vraiment trop fort pour toi », ou à l'autre : « Pas de chance, un peu plus, tu gagnais ! »

Aucun des deux ne méritait de gagner le match qu'ils ont perdu. En revanche, ils n'ont pas volé celui qu'ils ont gagné. Ils ont reçu *exactement* en fonction de ce qu'ils ont donné. Bravo et merci.

0/40 au cinquième set du dernier match de la finale, trois balles de match, je suis sûr qu'Arnaud (Boetsch) a perdu. Qu'on a perdu. Mais je ne suis pas tellement abattu. Il a vraiment tout tenté, il a été courageux, il a fait ce qu'il a pu. Je sais quelles lacunes il faudra combler pour la prochaine fois et cela me permet de surmonter ma légitime déception. Je le regarde avec tendresse, genre « on ne t'en veut pas, vieux ». Il me regarde à son tour, il croit lui aussi que le match est perdu. Il hésite sur l'attitude à adopter. Moment de flottement.

Dans un réflexe, je lui montre qu'il peut être fier de lui, que je suis fier de lui. Qu'on l'aime. Il se rengorge comme un coq, et décide de mourir debout. Et c'est cette attitude qui amène un bon service, et un surcroît de nervosité chez l'adversaire. À 15/40, toujours aussi fier, il récidive, et là il se met à croire à l'impossible, il a le courage de remonter parce qu'il veut récolter les fruits des efforts qu'il produit depuis le début. Parce qu'il ne veut pas nous décevoir. Réaction de survie. Il pense à nous : vous, moi, tous les gars de l'équipe, sa femme, son môme...

À ce moment je n'étais pas avec Arnaud parce que je voulais à tout prix gagner la Coupe Davis, car, je l'avoue, pour moi, c'était plié. J'ai juste cherché à soulager un copain car je trouvais injuste qu'il porte tout seul le poids d'une déception nationale.

On est loin du grand sorcier africain capable de faire des miracles avec ses gri-gris, n'est-ce pas ? Mais le sport n'est pas une affaire de sorciers. C'est essentiellement une question de mérite, avec, parfois, l'interférence bénéfique des élans du cœur.

14

Les carences de l'éducation

> Si les aventures personnelles sont uniques, les carrières sportives sont stereotypées et les sources d'echec chez les athlètes toujours à peu près les mêmes.

Les sportifs pour lesquels la compétition est la plus douloureuse sont ceux qui ont bâti leur carrière sur la jubilation éprouvée à battre un adversaire, à se montrer supérieur à lui. J'ai été moi-même totalement imprégné de cette culture : une carrière réussie, c'est forcément des centaines de victoires. Quelle pauvreté dans le raisonnement ! C'est un état d'esprit tellement mesquin que de penser qu'un sportif ne peut s'épanouir que dans l'agressivité ! Pour gagner, le voilà contraint de faire appel à des critères que bien souvent il réprouve dans la vie. Obligé d'employer des formules comme « tuer l'autre »,

« l'écraser », le « killer instinct », etc., alors que peut-être, il ne rêve que de paix, d'amour et de compassion. Un décalage s'opère alors entre l'athlète et l'homme, un dysfonctionnement qui confusément le met mal à l'aise. Il lui faut mettre et enlever un masque. L'athlète intérieur est celui qui a tombé le masque et réussi à faire cohabiter l'homme et le sportif dans un même corps et un même esprit.

Des valeurs quasi ancestrales forcent les éducateurs à présenter aux enfants le sport comme un moyen de récolter du bonheur par la souffrance et l'abnégation : « Fais des sacrifices, baves-en, tu auras des succès, et tu seras célèbre, et tu seras aimé. » Voilà le principe de base. « Et puis si tu n'es pas assez courageux, si tu as seulement envie de vivre comme un homme naturellement sain et équilibré, eh bien tu ne seras jamais fort, donc tu ne seras pas aimé. » La menace est lourde, on lui prédit le paradis au prix du sacrifice et l'enfer s'il ne se plie pas à la discipline !... Inutile de préciser que cette manière de présenter le sport me déstabilise. Parce qu'un athlète intérieur ne peut atteindre son potentiel que dans l'épanouissement de sa personnalité et pas autrement.

Si le sportif assure une carrière en force pour « bouffer » ses adversaires, peut-être en tirera-t-il une certaine fierté, mais qu'adviendra-t-il le jour où le déclin physique l'empêchera de gagner ? Comment celui qui s'est exclusivement nourri de victoires et de gloriole peut-il survivre au vide laissé par sa carrière qui s'achève ? Pis, comment réagira-t-il si cette carrière se brise brutalement sur une blessure, un faux pas, un mauvais choix ?

Je connais beaucoup de sportifs qui déambulent dans les endroits à la mode, désœuvrés, laissés-pour-compte de la gloire, qui font semblant d'exister mais ne savent que penser en voyant diminuer peu à peu le nombre des sollicitations dont ils faisaient l'objet aux temps glorieux. J'en connais trop et j'ai de la peine pour eux. Car la plupart n'y sont pour rien. L'éducation qu'ils ont reçue les a menés dans l'impasse, ou plutôt celle qu'ils n'ont pas reçue et qui leur fait défaut au tournant de leur vie.

Par ignorance plus que par malveillance, éducateurs — et parents — ont lancé des générations de gosses dans une aventure qui engage leur vie sans leur donner le bon mode d'emploi. Et si, en France, les autorités ne prennent pas la peine d'amorcer une vraie réflexion sur l'orientation de la jeunesse et sur l'état d'esprit qui pourrait leur permettre de s'épanouir en tant qu'adultes, on va droit à la catastrophe. Car les enfants, s'engageant de plus en plus tôt, ont de moins en moins la culture et la réflexion suffisantes pour s'adapter à l'échec — et d'ailleurs même au succès.

Ça me désole que certains champions français, au même titre que plusieurs ex-grands espoirs du sport, montrent tant d'incapacité à affronter les difficultés qu'ils rencontrent. Et je ne m'étonne pas que deux de nos plus grands champions : Perec* et Cantona*, après avoir frôlé la dépression en France, se soient épanouis à l'étranger ! En France, on qualifie trop facilement un jeune de génie simplement parce qu'ils s'est trouvé sur la trajectoire d'un ballon un soir de match décisif. Mais on le traite encore plus facilement de débile mental parce qu'il avait le ballon dans les pieds et qu'il ne l'a pas mis au fond.

Encore une fois, il est difficile pour un jeune sportif de rester sourd aux grondements de la critique quand tout le pousse à croire que c'est sa valeur humaine qui est engagée. Comment le « champion » Candeloro* peut-il survivre aux critiques adressées à l'« homme » et ses prétendues limites intellectuelles ? Candeloro n'est sûrement pas idiot. En revanche il est clair qu'il est mal « éduqué » et mal « entouré » puisqu'il accumule les erreurs. En attendant le champion s'étiole et c'est dommage.

Si j'étais ministre des Sports (et je ne veux surtout pas l'être car je ne crois pas à l'efficacité de la politique), j'organiserais une révolution culturelle. Je dirais aux jeunes sportifs : « Bâtissez d'abord votre propre bonheur, ne vous entourez que de gens, d'objets, d'ambiance qui concourent à votre équilibre. N'acceptez pas qu'on organise votre bonheur à votre place mais en retour soyez exigeant envers vous-même. Ne vous faites aucune concession. La seule discipline qui vaille, c'est celle qu'on s'impose soi-même. De vos réponses à vos exigeances, naîtra votre confiance et, quand vous vous sentirez prêt, l'apprentissage de l'athlète intérieur que vous rêvez de devenir aura déjà commencé. Alors, si vous avez été sincère, si vous ne vous êtes pas leurrés vous-même, vous aurez toutes les chances d'accomplir votre destinée. Si votre esprit est clair et votre cœur ouvert, vous n'aurez pas à chercher la direction. Elle s'imposera d'elle-même. Et si vous ne devenez pas le champion que vous croyiez être, il faudra en connaître les raisons, les accepter et ne pas baisser les bras car tout ce que vous aurez appris dans votre quête vous aura servi à devenir un homme meilleur, efficace dans n'importe quel domaine professionnel, équilibré dans la vie privée. Un homme juste. Un "athlète" de la vie. »

Et la première des choses à faire, c'est de supprimer cette notion de « killer instinct ». C'est Connors* qui l'incarnait le mieux, dit-on. Or Connors, je le connais bien, il mentait quand il disait qu'il se sentait comme un requin flairant l'odeur du sang. Connors, il ne voulait tuer personne, il voulait qu'on l'aime. Quand il s'insultait, quand il montrait le poing, ce n'était pas dirigé contre son adversaire. Souvenez-vous, il regardait le ciel ! Alors commençons à parler de montée d'adrénaline, d'« énergie qui éclate » (parce que les situations extrêmes du sport, ça « éclate », et c'est bon, je ne dis pas autre chose). Considérons tout sport comme un art martial, comme une activité où l'adversaire n'est pas un ennemi mais un élément du combat que VOUS menez, concentré uniquement sur

VOTRE propre énergie, une énergie qui vient de VOTRE motivation, de VOTRE recherche de la perfection.

Les adeptes des arts martiaux ont cette faculté d'analyser rapidement les qualités et les défauts de l'adversaire. Ils exploitent ses faiblesses mais laissent ses qualités s'exprimer. Ils ne recherchent pas la « mort » de l'adversaire, encore moins son humiliation, ils recherchent dans la domination, l'expression de leurs propres qualités. Ce que je reproche à un certain mode de pensée, c'est entre autre, la faiblesse des analyses de prétendus « spécialistes ». Combien de fois n'ai-je pas entendu : « Tel joueur a perdu parce qu'il était dans un jour sans ! » Nous voilà renseignés ! Je ne suis pas un fan du modèle américain, loin de là, mais il faut écouter les commentaires d'un match de tennis par un McEnroe par exemple. Il y a tout dedans : des remarques techniques, l'importance de l'enjeu vu par chacun des adversaires, les choix tactiques découlant de l'évolution du score, de leur état de fatigue, de la concordance de leur jeu, de leur mental, si bien que les jeunes télespectateurs acquièrent naturellement des données très importantes sur le sport qu'ils pratiquent. Aux États Unis, il existe une *vraie* culture sportive. Le sportif est naturellement considéré comme un héros, pas comme un débile. Il est respecté, pas rabaissé.

D'autres faiblesses viennent de l'encadrement technique. Combien d'entraîneurs ne parlent-ils pas de « coup de chance », de « pas de chance », de « déclic », de « crise », de « spirale » sans savoir vraiment ce que cachent ces mots. Je l'ai déjà dit : il n'y a pas de hasard dans la carrière d'un sportif. Et si on mettait ces carrières en courbe, si on prenait la peine de tirer les conséquences de chaque dérapage, les sportifs progresseraient à vue d'œil ! On pourrait pratiquement anticiper leurs succès et prévenir leurs défaites.

Soit ils se sont trompés d'objectif et vivent en fait le rêve d'un autre, parent ou entraîneur ; soit ils n'ont jamais intégré la gestuelle et compensent par des heures de répétition qui les minent et les lassent, soit ils prennent des raccourcis, soit ils se laissent pourrir la vie par des gens extérieurs qui n'entendent rien à leurs aspirations profondes, soit ils ne mettent pas le bon carburant dans leur machine, le pire étant quand leur carrière professionnelle les empêche de vivre heureux.

Comment peut-on encore laisser se planter des sportifs de talent sans s'émouvoir ? Et en leur collant, de plus, toutes les responsabilités sur le dos !

Des sportifs qui deviennent « nazes » parce que tout d'un coup ils s'imaginent que passer à « Nulle part ailleurs » ou poser pour un calendrier, c'est la « con-sé-cra-tion », il y en a. Mais si ce sportif n'est pas éduqué pour comprendre qu'il est en train de bousiller sa carrière et de gâcher sa vie et celle de sa famille, n'y a-t-il vraiment personne pour trouver les mots justes et le remettre sur la bonne voie ?

Il va falloir vraiment que l'ensemble des gens qui dirigent le sport admette qu'un champion n'est pas une machine à frapper des balles, ou à pédaler, ou à tirer des coups francs. Un champion c'est un mélange de forces et de fragilité qui fonctionne la plupart du temps en « co-dé ». Et s'il faut qu'il s'écoute « en clair » à l'intérieur de lui-même, il est également absolument vital que son entourage trouve le décodeur et l'aide à réussir sa vie.

Ou alors la France ne produira jamais que des champions par accident, des espèces de Terminator qu'un fol instinct de survie aura permis d'échapper au gâchis. Mais une fois leur carrière passée, y aura-t-il quelqu'un pour leur éviter de se prendre le mur à grande vitesse ? La réponse est claire, c'est : non !

Quand se décidera-t-on à éduquer les éducateurs ? Et puis, tant qu'on y est à éduquer aussi les parents, les épouses, les copains ? En un mot, si on essayait d'aider *vraiment* des mômes à s'éclater dans le sport ?

15

Cherchez l'objectif

> Un bon entrainement est
> douloureux pour le corps
> mais jouissif pour l'esprit

On est dans la vallée, l'objectif c'est le sommet de la montagne, et pour l'atteindre il faut franchir des obstacles et fournir des efforts. Le sommet de ma montagne, en tant que joueur, je ne l'ai jamais atteint. Je me suis arrêté au premier col. J'y ai posé une plaque : Roland-Garros 1983. Je voyais bien les chemins pour atteindre le deuxième, voire troisième col, mais je n'ai pas réussi à franchir les obstacles qui se sont présentés. Ces obstacles, je peux encore les énumérer : tout d'un coup, je ne sais plus comment « gérer » mon image, je suis sollicité de toutes parts et je ne sais pas faire le tri entre ce qui est acceptable et ce qui nuisible, je suis happé par ma gloire. Mon problème n'a plus le court pour cadre, mais la médiatisation. Je me noie là-dedans comme d'autres avant moi et plein d'autres depuis. Les seuls moments où je respire c'est quand je joue au tennis ! Mais comme je suis mal préparé, que je suis fatigué mentalement, je profite des tournois pour me reposer la tête ! Tout d'un coup, c'est trop ! Les gens vous regardent jouer, se demandent pourquoi vous n'en voulez plus, et vous, vous voyez que vous êtes coincé à 2 000 mètres et que vous n'avez plus la force de redescendre un petit peu pour attaquer la montagne par un autre versant. C'est le malentendu. Il n'y a plus d'harmonie, plus d'équilibre, à chaque pas, c'est l'éboulement, vous glissez, vous vous raccrochez aux branches. Le chemin entre le deuxième et le troisième col n'est pas tellement plus difficile à escalader que celui qui vous a amené au premier, mais c'est tout l'environnement qui a changé. Les conditions ne sont plus les mêmes et si vous ne retrouvez pas la « carte détaillée », celle qui vous permet d'anticiper les obstacles, vous êtes perdu. Sans cette carte qui vous permet de contourner les difficultés, vous prenez tout en pleine figure, rafales de vent, glissement de terrain, froid glacial, jusqu'à l'épuisement.

Tous les sportifs qui ont connu ça ont toujours la même réaction : ils attendent le « déclic ». Ils perdent, ils perdent, et puis par hasard ils gagnent un match alors, ils se disent : « C'est bon, c'est le déclic ! », mais on n'a jamais vu un champion renouer avec le succès sur un coup de bol. Sans la carte qui matérialise le degré des nouvelles difficultés du terrain, vous ne pouvez plus avancer. L'erreur le plus souvent commise par les sportifs qui viennent de connaître leur moment de gloire, c'est de se dire : « Je ne vais rien changer, je vais appliquer à la lettre ce qui m'a permis de gagner. » Or, le terrain n'est plus le même, les conditions météo ne sont plus les mêmes, et les compagnons de route non plus. Même l'air est plus rare...

Il faudrait pouvoir changer une tactique qui gagne puisque la victoire vous aura changé ! En deux ou trois occasions, entre mon succès et ma retraite définitive, j'ai préparé Roland-Garros avec la même intensité qu'en 1983, et pourtant je n'ai pas regagné. Pourquoi ? Parce que j'ai voulu rééditer un exploit avec les mêmes ingrédients, presque comme si j'étais novice, alors que l'expérience m'avait transformé et tout avec, autour de moi. Si j'avais eu en tête cette métaphore chère à Dan Millman décrivant une carrière comme l'ascension difficile d'une haute montagne, si j'avais eu l'idée de partir avec un parchemin comme les chercheurs d'or, j'aurais, c'est certain, accompli plus de grandes choses. La seule revanche que je puisse prendre sur cette ignorance qui a limité mon champ d'action, c'est d'inciter les plus jeunes à grimper tout là-haut. Qu'ils ne s'éternisent surtout pas au premier bivouac venu. L'endroit n'est pas sûr !

Beaucoup de gens éprouvent une grande frustration quand ils s'aperçoivent que leur histoire tourne au médiocre alors qu'ils espéraient vivre un conte de fées. En regardant vivre les gens autour de moi, et en analysant ce qui m'est arrivé après ma victoire à Roland-Garros, j'ai compris que la principale cause de stress, de malaise, de mal de vivre est tout simplement liée à l'absence d'objectif précis.

Interrogez vos proches, vos enfants, vos parents, demandez-leur vers quel but ils s'orientent, vers quelle cible leur existence est tournée et vous serez surpris de constater que leur objectif est souvent inexistant, ou seulement très vaguement défini. C'est la pire source d'ennui (dans toute les sens du mot) que je connaisse. On s'ennuie, et on s'expose aux ennuis.

On avance dans le désert, on accumule des expériences qu'on range dans les placards à souvenirs (où l'on se dépêche de les oublier), et puis le temps passe sans qu'on sache comment rendre sa vie belle, riche, excitante... cohérente ! On en a marre de zigzaguer d'une bonne résolution à l'autre, de se laisser entraîner d'un côté, influencer de l'autre, marre de « se la jouer ».

Pour l'avoir vécu il y a plus de dix ans jusqu'à ressentir l'impression que j'allais en crever, je connais les effets secondaires de ce genre de douleur à l'âme. Et qu'on vous dise : « Je ne comprends pas, tu as pourtant TOUT pour être heureux ! », et c'est le couteau qui fait un tour de plus dans la plaie.

Le blues de la vie n'est pas une fatalité, ni une maladie, ni une injustice qui vous frappe comme un cancer. Rien dans la nature n'a jamais indiqué que la vie soit facile. D'où un certain désenchantement quand on s'est laissé aller à imaginer le contraire.

Éliminer ce malaise est généralement beaucoup plus simple que vous ne l'imaginez.

Il peut suffire de prendre un papier et un crayon, interro-surprise : qu'est-ce que je veux faire de ma vie ? Réponse... Ça prendra le temps qu'il faudra. Laissez traîner le carnet et le crayon, mais cherchez à définir clairement l'objectif de votre vie (ou d'une période qui s'annonce), et ensuite tracez l'itinéraire qui mène du point A où vous vous trouvez au point B où vous rêvez d'aller. Affligeante banalité ? Désarmante simplicité ?

Laissez dire ! À tout compliquer, on ne fait jamais rien ! Pourquoi ceux qui ont fait de la simplicité un art de vivre sont-ils plus heureux que les autres ? Plus heureux *avec* les autres ? Pourquoi leur confiance en eux est-elle accrue ? Pourquoi obtiennent-ils plus régulièrement des résultats ? Pourquoi restent-ils humbles dans la victoire et dignes dans la défaite, pourquoi ne sont-ils pas hystériques un jour puis totalement déprimés le lendemain ? Pourquoi chaque fois que je me suis concentré sur UN objectif, et que je me suis donné VRAIMENT TOUS les moyens pour l'atteindre, l'ai-je atteint ? Hasard, ma victoire à Roland-Garros en 83 ? Hasard, la victoire de l'équipe de France à Lyon ? Hasard à Malmö ? Hasard, la victoire du PSG en Coupe d'Europe ? Hasard, ma fin de carrière en demi-teinte ? Hasards, les plantades en

Coupe Davis : Nîmes, Fréjus ? Hasard, l'équilibre de ma vie ? Hasard, la déconfiture du PSG depuis son titre ? Évidemment non !

Tous les succès sont intervenus tels qu'ils avaient été programmés sur le plan de route. Il suffisait de suivre les flèches et d'arriver dans les temps. Toutes les défaites trahissent une absence de véritable plan de route, ou un itinéraire mal adapté. Ou un adversaire supérieur, bien sûr.

Parfois j'entends : « Il ne suffit pas toujours de vouloir pour pouvoir. » Eh bien je pense que si, à partir du moment où l'objectif est en rapport avec votre potentiel. Le problème, c'est que nous avons trop souvent tendance à nous sous-estimer. Même si certains d'entre nous cherchent à briller en société, intérieurement, nous ne nous faisons jamais assez confiance. Nous nous fixons des limites qui n'existent que dans nos craintes.

À ce titre, j'ai été frappé par les commentaires de Stefan Edberg qui analysait la valeur des Français avant la finale de Coupe Davis. Il disait que nos joueurs avaient des super-jeux mais qu'ils étaient fragiles mentalement. Sous-entendu : « Ils croient tellement peu en eux que malgré leur talent, on peut les plier quand on veut. » Le nombre d'athlètes étrangers, dans tous les sports, qui partagent l'impression de Stefan, c'est affreux ! Il faut que ça change.

Mais revenons à notre objectif. Le moment où on le définit est évidemment capital. Il doit être *réaliste*, ni trop élevé, ni trop modeste. Car s'il ne peut matériellement être atteint, on risque d'éprouver un sentiment d'échec difficile à surmonter. Et s'il est trop aisé à obtenir, une impression de satisfaction prématurée peut entraîner sensation de vide et tentation de laisser aller. Mais surtout, IL NE FAUT PAS SE TROMPER D'OBJECTIF. Il faut viser juste.

Et pour ce faire, il est primordial de savoir s'isoler. S'isoler physiquement, et mentalement.

Partir à la recherche de l'« état le plus tranquille » de son être. À travers cette formulation, j'imagine un endroit ou un moment où, étant parfaitement détendu et concentré sur soi-même, on est capable d'entendre sa petite voix intérieure et même de dialoguer avec elle. Capable de se dire : « Voilà ce que je veux », capable de prendre l'engagement vis-à-vis de soi-même et de tout mettre en œuvre pour l'obtenir.

Si on est sincère, si on n'est pas « pollué » par les désirs impérieux des membres de son entourage, si on ne se laisse pas embarquer dans le rêve d'un autre dans l'espoir illusoire de lui faire plaisir, si tel l'Alchimiste, on décide de vivre sa « légende personnelle », alors l'histoire peut commencer à se mettre en place. Dès lors, tout ce qui va vous arriver va la nourrir de rebondissements. C'est un véritable feuilleton à épisodes qui s'annonce, captivant : chaque péripétie préparant la suivante. L'ennui n'a plus sa place dans ce genre d'aventure.

Maintenant, il s'agit de reconnaître l'itinéraire à parcourir. Déterminer les étapes. Dessiner son plan de route. La tentation est grande d'emprunter les voies rapides, ou de rechercher les raccourcis. C'est l'erreur la plus fréquente. Elle est presque toujours fatale. Une fois perdu sur les chemins de traverse, il faut être très fort pour revenir sur la voie du succès. C'est d'autant plus regrettable que la plupart des gens qui prennent les raccourcis le font rarement pour eux-mêmes, mais pour tenter de rassurer leurs proches. Sentant que leur entourage s'impatiente, doute, ils recherchent un résultat à court terme qui les rassure, quitte à s'écarter du droit chemin. Au début, ils font des aller-retour entre la route principale et les petits chemins, puis un jour ils se perdent, et on n'entend plus jamais parler d'eux.

D'où l'influence de l'entourage, mais on verra cela dans un prochain chapitre.

Donc il faut toujours garder le cap, et ne jamais chercher à aller trop vite car tout ce qu'on n'a pas acquis en cours de route fait forcément défaut au moment de la consécration.

Cela pourrait se comparer au principe d'un jeu télévisé : si le candidat n'a pas réussi à réunir toutes les clés pendant les épreuves préliminaires, il ne sera pas en mesure d'ouvrir la salle au trésor lorsqu'il se présentera devant la grille.

Si, le jour de l'épreuve cruciale, le sportif n'a pas acquis toutes les connaissances nécessaires pour affronter le problème, il ne peut s'imposer à coup sûr. Qu'il lui manque une clé sur dix, et il compromettra un petit peu ses chances. Deux clés ? Un peu plus, trois clés... Ces clés s'acquièrent les unes après les autres, étapes après étapes, dans un parcours tracé à l'avance. Je rigole en pensant à ma propre expérience de joueur ! J'avais l'impression qu'à chaque croisement, je pouvais emprunter n'importe quel chemin. Où aller ? En face ? À droite ? À gauche ? Je m'interrogeais, mes parents s'interrogeaient, mes entraîneurs s'interrogeaient. Un dirigeant m'a intimé l'ordre de poursuivre le cycle tennis-études. J'ai pensé que passer pro était mieux. Que se serait-il passé si je n'avais pas *désobéi* ? Si je n'avais pas suivi MA route mais celle qu'on m'indiquait ? Aurais-je gagné Roland-Garros ? Je ne le pense pas. Une carrière, c'est une succession de bons choix aux bons moments.

Mais comment s'assurer qu'on est toujours sur la bonne route ? La bonne route n'est pas nécessairement sans encombres. Au contraire. La bonne route, c'est celle qu'on se choisit en toute sincérité. C'est une route qui comporte un risque d'échec à chaque initiative, mais tant qu'on fait de son mieux, avec la plus grande ferveur, on reste dans la bonne trajectoire. Ne seront « éliminés » que ceux qui ne sauront pas tirer les conséquences qu'imposent un échec. Sur la route du succès, il y a une règle d'or : NE JAMAIS commettre deux fois la même erreur.

Pour cela il faut mettre le doigt dessus. Ne pas les dissimuler. Ne pas se chercher d'excuse. Ne pas rejeter la faute sur les autres.

Malheureusement, admettre ses propres erreurs est par nature beaucoup plus difficile à faire qu'à dire. On a tort de penser qu'avouer ses faiblesses, c'est se dévaloriser. Il faut au contraire, être balèze pour pratiquer l'autocritique. L'être humain ordinaire aura tendance à fuir lâchement ses propres responsabilités. L'athlète intérieur, lui, se sert de ses erreurs comme d'un carburant. Il faut de temps en temps décider de faire étape et analyser froidement la situation. Quitte à parler à haute voix ou à prendre des notes sur un carnet, car l'esprit imprime ce qui est clairement exprimé et s'empresse d'oublier les « impressions » : « Ai-je été suffisamment courageux ? Ai-je manqué de ténacité ? Suis-je resté suffisamment concentré ? » Après une défaite, une analyse détaillée est indispensable. Mais une fois les réponses apportées, il est indispensable de jeter le tout au panier, de ne pas trimballer avec soi les témoignages de ses faiblesses passées. Une fois l'affaire réglée entre vous et vous, laissez vos erreurs derrière vous.

En marge de cette discipline de l'esprit qui consiste à fournir une explication franche à chaque question clairement formulée, l'itinéraire d'un athlète intérieur l'amène à suivre une formation technique, aussi longue et incertaine que le plus noir des couloirs.

Dans tout apprentissage, les points de repère étant peu nombreux, il faut savoir accepter le doute. Un exemple : il y a deux manières d'apprendre une langue étrangère. Soit on vous fait ahaner trois mots par jour, on vous met la pression avec des contrôles, des notes et des machins, moyennant quoi vous obtenez tout juste la moyenne au bac et une fois dans le pays, vous êtes incapable de converser avec quelqu'un. Soit on vous immerge trois mois dans le pays. Durant de longues semaines vous êtes totalement largués et puis un beau jour, vous vous lancez, vous vous mettez à parler tout à fait correctement, vous lisez la presse, etc.

Dans le sport, c'est pareil. Il y a un temps pour acquérir des bases essentielles pendant lesquelles les contrôles (les compétitions) agissent comme des éléments perturbateurs. Les compétitions de jeunes en particulier sont des freins à l'épanouissement des champions. Comme si un maçon commençait juste à creuser les fondations de sa maison et que régulièrement son voisin vienne lui dire : « Bof, elle n'est pas terrible, ta baraque ! » Attendez ! Prenez le temps de faire les choses correctement, sans fléchir sous le regard extérieur.

« Et l'esprit de compétition ? » clament déjà certains entraîneurs.

Eh bien, l'esprit de compétition, il se développe d'une manière beaucoup plus saine chez un enfant qui fait tout pour remplir la tâche qu'il s'est fixée (frapper cinquante coups droits à plat sans faire une faute, boucler un tour de piste en moins de tant de secondes, marquer vingt-huit pénalty sur trente, etc.) qu'en battant un adversaire aussi pétrifié que lui par l'enjeu, devant des parents inquiets et un entraîneur fébrile !

Travailler un geste technique, ce n'est pas *que* de la mécanique. Cela demande aussi des qualités de compétiteur : de l'organisation, de la patience, des facultés de concentration, de la ténacité, de la confiance en soi, de la discipline, et même de la ruse, pourquoi pas ?

L'objectif à court terme est comme une barrière à franchir. Il faut y arriver : par dessus, par dessous, à droite, à gauche, en force, en souplesse. IL FAUT passer pour pouvoir aborder la suivante. Elle est là, la vraie compétition ! Réaliser son ambition ne consiste pas à battre son voisin de palier. Mais à arriver à l'heure à tous les petits rendez-vous qu'on prend avec soi-même : se concentrer de plus en plus longtemps, courir de plus en plus vite, sauter de plus en plus haut, faire de plus en plus de choses avec une balle ou un ballon, lire de plus en plus, rencontrer de plus en plus de gens, parler de plus en plus librement...

L'ambition, c'est avoir envie de progresser dans la joie. Si vous vous ennuyez quand vous travaillez pour vous améliorer, c'est un signe : vous faites fausse route. Ce n'est pas normal. Pas acceptable. Il faut changer. Un bon entraînement c'est douloureux pour le corps mais jouissif pour l'esprit.

Bien sûr, il y a certaines périodes où l'aspect mécanique prend le dessus. Intégrer une technique ne se fait pas sans effort, mais là encore, il faut opter pour la méthode la plus intelligente et rejeter le côté rébarbatif du travail. Certains coaches vont faire faire cent fois, mille fois le même geste à un élève sans s'assurer que son cerveau a totalement intégré les données techniques. À cela deux inconvénients : une risque évident de lassitude chez l'apprenti et puis surtout un manque de certitudes. À force de répéter le geste, l'élève a fini par obtenir un taux convenable de réussite dans des conditions ordinaires, mais rien ne prouve qu'il saura le reproduire en situation extrême. On pourrait comparer ce type d'entraînement à du bachotage. On apprend un truc par cœur, on obtient une note convenable, et le lendemain on est incapable d'aligner deux mots sur le sujet. Quel intérêt ? Mieux vaut prendre le temps d'intellectualiser le geste, de le comprendre, de l'imprimer définitivement dans son subconscient : on vous explique, vous testez, on vous réexplique s'il le faut, vous retestez, et quand vous êtes certain d'avoir compris, basta, pas la peine d'en faire des tonnes ! Passez vite à autre chose. Une autre technique consiste à *visualiser* le geste parfait (nous verrons cela en détail plus loin).

Utiliser rationnellement son énergie pour marcher vaillamment vers l'objectif fait partie des secrets de l'athlète intérieur. Parce qu'il estime que son temps fait partie de ses richesses, l'athlète évite de le gaspiller. Il marche vite parce qu'il sait où il va et qu'il espère bien trouver ce qu'il sait chercher.

16

L'analyse des obstacles

> Quand j'ai trouvé la meilleure manière de bien vivre le sport, de surmonter les difficultés, j'avais trente ans, et plus assez d'énergie a lui consacrer

Pour illustrer le chapitre précédent sur l'importance de l'objectif et de la feuille de route, voici trois « plans de carrière » possibles.

Au départ, trois sportifs : Pierre, Paul et Jacques. Ils ont des qualités comparables, rien, ni dans leur physique, ni dans leur rapport au jeu, ni dans leur intelligence ne semble devoir s'opposer à leur réussite. Tous trois paraissent très motivés. Ils ont les posters qu'il faut dans leur chambre, lisent *L'Équipe*, ne loupent jamais « Stade 2 », rêvent de gloire et sont fidèles à l'entraînement. Tous trois, chacun sur sa route, vont avancer. Au bout de quelques années d'apprentissage très axé sur la technique, vous avez de grandes chances de retrouver Pierre, Paul et Jacques à peu près au même niveau. Parce que leur motivation leur aura suffi à faire l'effort d'intégrer la mécanique de leur sport et que leur assiduité à l'entraînement les aura menés à un niveau honorable.

Les premières années d'une carrière peuvent se comparer à la naissance d'une plante verte. Si la graine est plantée dans une bonne terre, le pot placé à la lumière qu'il faut et que quelqu'un s'engage à l'arroser régulièrement, il n'y a pas de raison qu'elle ne pousse pas. Le problème, c'est que si personne ne songe à s'extasier devant une plante qui pousse, tout le monde est aux cent coups dès qu'un gamin tape bien dans une balle ou court vite, alors que ces deux phénomènes ont généralement les mêmes causes : de la bonne matière, un minimum de soin, rien de bien sorcier.

Une fois les bases techniques acquises, va se poser le problème des obstacles à surmonter. Des murs se dressent régulièrement devant le compétiteur comme autant de limites et celui-ci va tenter de les repousser les uns après les autres. Ces limites ont toutes sortes de formes : ce sont des adversaires, des conditions particulières, des complexes, des manques affectifs trop forts, de l'ignorance, etc., un peu comme le train fantôme dans les fêtes foraines, mais tout cela fait partie du jeu.

Retrouvons nos trois athlètes et prenons le cas de Pierre. Son itinéraire est exemplaire. Alors qu'il est au top de ses qualités physiques, il a assimilé l'essentiel de ce bouqui..... et plus j'imagine, car il y a tant d'autres choses à ajouter. L'illustration parfaite serait Carl Lewis*. Quinze années de carrière, des titres prestigieux et toujours intacte cette flamme intérieure qui l'anime. Il ne court pas pour la gloire ou la reconnaissance, il écrit sa propre histoire, victoire après victoire. Sa carrière est un acte volontaire, pas une manière de fuir sa véritable personnalité. L'athlète et l'homme ne font qu'un. Carl Lewis après sa neuvième médaille d'or, aux J.O. d'Atlanta. Extraits de conférences de presse : « Durant ces deux dernières années, on m'a souvent demandé si le fait de m'obstiner à courir et à sauter malgré mon âge canonique ne risquait pas de ternir ma « fameuse légende ». Voici ma réponse : grâce à mes défaites et mes blessures depuis ces derniers mois, j'ai pu réintégrer la peau d'un athlète ordinaire et en éprouver du plaisir. L'habit d'athlète légendaire n'est pas confortable : quand vous perdez tout le monde vous tombe dessus et quand vous gagnez tout le monde trouve cela normal. « C'est bien vous le plus fort, non ? » me disait-on. Alors autant vous dire que cette médaille (d'or au saut en longueur), ma première en tant qu'outsider, me procure un plaisir vraiment très particulier. C'est elle qui m'a demandé le plus de peine, entraîné le plus de doute, nécessité le plus grand nombre d'heures d'entraînement. Il y a six mois encore, je disputais ce que nous appelons au Texas le « Blue Collar Tour » qu'on pourrait traduire par la « tournée des gars qui travaillent dur » : une course par semaine par 40°. Et là, plus question d'affronter le gratin de l'athlétisme mondial. Je me suis colté tous les kids des universités de Rice à Houston, vachement surpris de me voir prendre le départ à leur côté. Mais j'avais besoin de courir sans pression contre des gars que j'étais certain de battre même en faisant des erreurs. Je suis descendu de 10″56 à 10″26 sans qu'aucune caméra capte tout ce que j'ai pu endurer pour revenir au plus haut niveau. Ne voulant pas terminer ma carrière sur un échec (après les championnats du monde de Göteborg), je me suis enfermé dans une salle de muscul où, croyez-moi, j'en ai bavé. Heureusement, aux côtés de mes meilleurs amis : Leroy Burell*, Mike Marsh*, Floyd Heard* et ma sœur Carole. Je me souviens que lorsque je partais le matin pour l'Europe j'allais à la salle à six

heures pour ne pas rater une journée d'entraînement !
Tout au long de ma carrière, on m'a demandé quelle
potion j'avais bien pu absorber pour rester si longtemps
au plus haut niveau. Je ne la recommanderais pas à tout
le monde car elle a un goût amer, celui de la sueur et des
larmes. Mais me voilà, au bout de mon rêve, avec ma
neuvième médaille autour du cou. » Splendide.

Examinons maintenant l'itinéraire de Paul. À un certain
moment, face aux premières grosses difficultés, il est sorti
de la route. Pour une raison purement technique, ou
d'ordre psychologique, il s'égare. Mais Paul est bien
entouré et sa volonté de parvenir à son objectif est intact.
Alors il va énumérer les raisons qui l'ont fait sortir de sa
voie. Et va traiter les problèmes un par un. Cela lui prendra le temps nécessaire, mais il finira par rejoindre le
même chemin que Pierre. En tennis des joueurs comme
Sampras ou Edberg ont sacrifié des mois de résultats chez
les jeunes pour passer d'un revers à deux mains à un
revers à une main sans lequel ils n'auraient jamais eu le
palmarès qu'ils ont eu. En football, Cantona a envisagé
d'arrêter avant de trouver sa voie en Angleterre. En athlé,
Marie Jo (Perec) a pas mal végété avant de s'épanouir
dans le système américain. En golf, Faldo* raconte
comment il a osé démonter son swing comme un Meccano
puis le remonter pièce par pièce pour gagner, certains
cavaliers ont complètement « déprogrammé » leurs che-
vaux pour réinstaller un « programme gagnant ». Les
exemples de sportifs qui sont sortis de la route avant de
revenir finalement sur la voie du succès ne sont pas si
rares et leur réussite est encourageante.

Pour finir, il y a l'exemple de Jacques. Malheureusement beaucoup plus fréquent. En gros, Jacques n'a rien
compris, ou alors, il a compris trop tard.

Quand personnellement j'ai trouvé la meilleure manière
de bien vivre le sport, de surmonter les difficultés, j'avais
trente ans, et plus assez d'énergie à consacrer au sport.

Ou plutôt, envie de la canaliser sur autre chose. Ce que ressent Jacques est assez triste. Il a l'impression d'avoir beaucoup donné, d'avoir fait pas mal de sacrifices, mais d'avoir reçu bien peu en retour. Il en a marre. Il s'est engagé dans une carrière parce qu'il avait l'air d'avoir quelques prédispositions. Et voilà qu'à trente ans, il doute. Et c'est grave. S'il ne réagit pas à temps, Jacques va organiser sa retraite comme son propre enterrement, il pleurera sur sa tombe et s'angoissera intérieurement pour sa vie future : « Si ma vie doit ressembler à ma première carrière, merci ! », pense-t-il secrètement.

Pour ma part, j'ai réagi avant qu'il ne soit trop tard. Je me suis servi indifféremment des erreurs et des succès qui ont jalonné ma carrière pour construire mon bonheur. J'ai mis ma carrière sportive au service de ma vie et non pas l'inverse. À partir de là tout s'est éclairci autour de moi. Je crois avoir du recul sur ce que je fais, je suis cohérent dans mes actions, le cours de la vie s'impose logiquement à mon esprit. Je ne me barre pas dans tous les sens, parce que je profite du bonheur d'être « à ma place ». Durant toute ma carrière, j'ai cherché ma place. Je n'ai jamais eu, avant la fin, le soulagement de me dire : « Voilà, tu es là, et c'est bien. » J'ai toujours recherché un sens à ce qui m'arrivait. Toujours recherché une philosophie à ce que je vivais. La trouver à ce moment-là m'aurait permis de me sentir bien dans le paysage au lieu de subir un décalage, l'impression d'être *hors système*. Ce n'était pas « lourd » à assumer, mais je n'étais pas « équilibré ». J'étais un bon joueur, j'étais un mec sympa, mais il n'y avait pas de connection entre les deux. Encore une fois c'est dans ce manque, dans ce vide, que j'ai puisé ma force. J'ai commencé à le ressentir en 1982, lors de la finale de Coupe Davis où nous avons été battus par les Américains (j'avais perdu contre John) et cela m'a donné la hargne qui m'a permis de gagner Roland-Garros. Un grand moment bien sûr, déterminant pour le reste de mon existence, mais j'aurais pu faire tellement mieux ! Seulement comme il n'y avait pas d'adéquation entre le sportif et l'homme, le sportif souffrait de ce que l'homme avait sur le cœur. Je cherchais le bonheur AILLEURS ! À mes yeux il y avait le sport qui représentait la souffrance, la frustration et de l'autre ce que j'imaginais être la vraie vie avec tous ces faux-semblants. Je disais : « Il n'y a pas que le sport dans la vie ! »

Comme je regrette d'avoir pensé ça. Le sport, c'est la vie !

Même si j'adore le jeu, les voyages, même si j'ai vécu de très grands moments dans ma carrière, je pense être passé à côté du *vrai* bonheur d'être un sportif. On me disait : « Tu peux faire mieux », mais on ne me disait pas *comment*, ni *pourquoi*. Je savais qu'une victoire de plus n'arrangerait rien à mes affaires. Ce que j'aurais aimé c'est vivre une aventure, mais neuf fois sur dix mon sport n'était qu'abnégation et négations. À présent, je fais les choses, même les plus insignifiantes avec une certaine joie parce qu'elles ont un sens dans une vue globale de ma vie. J'agis — autant que possible, bien sûr — avec sincérité, en prenant le temps nécessaire et sans m'occuper du regard extérieur. Quand je chante et qu'on me dit que je suis un moins bon chanteur que je n'étais bon joueur de tennis, je m'en fiche complètement. Joueur, j'ai été parfois très malheureux et très solitaire, comme chanteur, je n'ai eu que du bonheur et de l'amitié à partager. Qu'est-ce qui compte, en fait, dans la vie ? Le nombre de tickets vendus dans un stade, ou le sourire de ceux qu'on aime ? La célébrité ou la sensation d'être bien dans sa peau ? Cela dit, vivre sur le circuit m'a permis de vivre des aventures hilarantes et parfois loufoques. Une me revient à l'esprit.

Je revois Las Vegas et dans les gradins du court où je m'entraîne, une famille bizarre. Un grand Black, deux mètres minimum, très élégant, manteau noir, dreadlocks, beaucoup de classe, autour de lui trois filles sublimes et une armée de mômes métis tous plus beaux les uns que les autres. À la fin de mon entraînement, une des femmes s'avance :

— *Notre* mari voudrait t'inviter chez nous. Tu représentes beaucoup pour lui, on voudrait que tu nous fasses l'honneur de venir à la maison.

— Pas de problème. J'ai juste un match à jouer cet après-midi, après c'est OK.

Je perds le match, une limousine vient me chercher et m'emmène dans le désert jusqu'à un gigantesque motorhome, carrément une baraque plantée au milieu du désert. Des coussins par terre, des odeurs d'encens capiteux, des lumières tamisées, une ambiance terrible et lui au milieu, genre gourou. Il me fait fumer un truc hallucinogène qui me transforme illico en héros de ma propre vie, il philosophe, me fascine, me dépeint tel qu'il me ressent, il me conseille, me parle de la lumière, j'écoute, j'ai toujours écouté ceux qui m'ont parlé de la lumière, du soleil et du cosmos.

Et pendant qu'il me raconte des histoires, ces histoires que j'aimais tant, deux des femmes me massent chacune la plante d'un pied avec une infinie douceur. Je viens de perdre 6/3 6/3 contre Fitzgerald* mais je suis le roi du pétrole.

Quelques mois plus tard, je suis tombé sur la photo de l'homme aux trois femmes. Il venait d'être arrêté par la police. La légende indiquait qu'il était un ancien leader des Black Panthers recherché depuis quinze ans. Il est peut-être toujours en prison, mais, l'espace d'une journée pas ordinaire, il m'a montré que la réalité, sous certains aspects, c'est même mieux qu'un rêve.

17

L'entourage

C'est pour cela que j'ai voulu appeler ce livre "Secrets etc..." parce que ce qui fait gagner un champion c'est justement tout ce que le public ne voit pas

« La pression, c'est ce qu'on met dans les pneus ! » (Charles Barkley*) J'adore cette phrase. On n'entend que ça dans les commentaires sportifs : « J'avais la pression, tu as surmonté la pression, il m'a mis la pression, nous subissons la pression »... La pression, ça n'a pas de réalité, c'est une illusion, une mauvaise interprétation dans votre analyse de la situation. Une sorte de malentendu qui vient de la peur du sportif à l'idée d'être « jugé », d'où un sentiment d'inconfort qu'on appelle la *pression*. Mais qui sont ces juges ? Tout ceux qui ont le droit d'entrer dans l'univers de sportifs de haut niveau : les parents, les journalistes, les sponsors, les dirigeants, le public.

Lorsque tous ces gens comprennent et apprécient l'athlète, il n'y a pas de problème, ils exercent sur lui une stimulation, ils provoquent des effets positifs qui l'aident à accomplir sa tâche et la « pression » s'élimine d'elle-même. Il n'y a plus qu'un léger trac tout à fait naturel et même nécessaire à l'exploit.

En revanche, si l'entourage du sportif se dresse contre lui, le critique, doute ouvertement ou sournoisement de lui, lui prédit l'échec, le jalouse, bref trouble sa sérénité, il NE PEUT PAS donner le meilleur de lui-même. Il peut gagner, grâce à un heureux concours de circonstances, une faiblesse de l'adversaire, mais il n'aura pas atteint les limites de son potentiel. J'ai tellement observé, vérifié, contre-expertisé ce cas de figure que je n'hésite pas à affirmer qu'il s'agit là d'une loi, incontournable. Il n'existe pas de champion mal entouré. Il n'y a pas de gens heureux mal entourés.

Celui qui rêve de devenir grand n'a pas d'autre choix que d'instaurer une totale compréhension entre lui et le reste du monde. Ou bien de fermer les écoutilles. En tant que capitaine d'équipe ou « conseiller de dernière minute » comme je l'ai été avec le PSG, je ne fais rien d'autre que d'essayer d'installer de l'harmonie entre les athlètes et leurs proches. Si je n'ai pas le temps de leur expliquer pourquoi c'est important, je mets tout le monde dehors, et on peut commencer à travailler efficacement. Autrement, ce n'est pas la peine, car tous les efforts d'un athlète peuvent être ruinés par un mot malheureux, un regard méchant, une interférence négative.

Quand je dis « j'essaie », ce n'est pas de la fausse modestie. Je commence par dire aux gars (ou aux filles) : « Je vais essayer de vous emmener vers votre plus haut niveau de performance. Mais je ne suis pas sûr d'y arriver. Je suis un être humain, pas un gourou, pas un magicien et je peux me tromper. Mais je vous jure que je vais essayer... »

Essayer de créer autour du sportif un univers de calme et de détente. Sur mon carnet, j'ai mon plan de travail. Jour J moins 15, ou moins 8, selon les cas et je sais comment procéder pour qu'au Jour J l'athlète soit au top. Je note les temps de passage et je sais si on sera à l'heure ou pas. Dans la plupart des cas, je ne dispose pas du luxe qui consisterait à faire entrer tout le monde dans l'aventure. Donc j'élimine les éléments perturbateurs le temps de la compétition.

Quand je suis arrivé dans le clan du PSG huit jours avant la finale, j'ai immédiatement ressenti un malaise dans l'entourage des joueurs. Il y avait un climat presque de haine, des jalousies, des non-dits, etc. Naturellement, je me suis fondu dans le groupe, j'ai vécu à son rythme et j'ai commencé à ressentir physiquement le malaise, j'avais envie de vomir, de fuir l'endroit. Je demande aux joueurs :

— Et vous, ça va ?

— Super !

— C'est bizarre, moi, je suis mal dans cette atmosphère. Je la trouve lourde, j'étouffe là-dedans, ça craint.

— Note que c'est vrai, il y a ça, ça, ça et ça...

Et *certains* se sont mis à déballer tout ce qu'ils avaient sur le cœur. On devenait de plus en plus légers. Nous avons commencé à nous marrer comme des mômes. L'abcès se vidait et ça nous rendait heureux comme des convalescents... Quelle soirée en Espagne à six jours du match ! une vraie rigolade ! (*Private* : Vous vous souvenez les gars ?)

Ce fut une grande expérience pour moi. Merci encore. Il est primordial pour l'athlète intérieur d'organiser l'harmonie autour de lui. Je ne veux pas généraliser mais très peu de sportifs réussissent à réunir un entourage exclusivement positif. Il est plus souvent source de perturbation.

Car les gens qui sillonnent l'univers d'un athlète perçoivent souvent assez mal ce qui le constitue. Et rares sont les athlètes qui prennent le temps d'expliquer ce qu'ils ressentent profondément ou qui ont le courage de couper les ponts avec ceux qui les gênent. Surtout lorsqu'il s'agit de gens qui leur ont été précieux à un certain moment de leur vie. Souvent ça leur coûte leur carrière parce qu'ils préfèrent faire semblant ou supporter une gêne plutôt que d'assumer leurs différences et régler les malentendus. Dans le quotidien, c'est la même chose, personne ne peut réussir sans le soutien spontané de l'entourage !

En fait, les difficultés viennent souvent de la manière dont on s'accommode (ou pas) des contraintes. Dans mon cas, les désignations dans les tournois, les exigences des sponsors, des agents, ou tout simplement mes humeurs m'ont amené à considérer certaines tournées comme de véritables galères. Si j'avais fait preuve d'un minimum de réflexion j'aurais compris qu'agir en traînant les pieds ne peut rien donner de bon. J'aurais mieux fait de rééquilibrer mes programmes, de partir carrément en vacances, afin d'être vraiment présent quand il fallait l'être. Au lieu de ça, je me suis usé physiquement et mentalement, en cultivant inutilement mes frustrations.

L'été, tous mes copains étudiants partaient en vacances, et moi, il fallait que je me tape les tournois que je détestais le plus, ceux des villes américaines étalées sur des kilomètres sans véritable centre ville : Cincinnati, Indianapolis, Little Rock... Déconseillées pour des vacances.

Quelques scènes amusantes de la vie de « globe-trotter » juste pour démonstration :

Un jour, je prends l'avion Paris-New York, j'arrive à Kennedy. Ça ne va pas très fort. Je récupère mes bagages pour attraper une correspondance sur vol intérieur. Il est 15 heures locales, je passe devant un guichet Air France ouvert, je ralentis le pas, l'hôtesse me sourit.

— À quelle heure, le prochain avion pour Paris ?

— 18 h 30.

— Il reste de la place ?

— Oui.

— Donnez-moi un billet, je vous prie...

Cette fois-là, je suis rentré. Il m'est arrivé aussi de m'endormir dans ma chambre, noire (noire parce que Jimmy Hendrix avait toujours des chambres noires...), chez moi, un peu cassé et de me réveiller dans la chambre rouge d'un hôtel quelconque à l'autre bout de monde sans m'être aperçu que j'avais fait trente heures de trajet. Un seul petit problème, c'est qu'en faisant ma valise, j'avais rempli mon sac de la moitié du paquetage livré la veille par mon sponsor, soit six shorts, zéro chemise, et huit chaussures droites !

Quand partir me faisait vraiment suer, je pouvais inventer n'importe quoi. Pourvu que ça me remonte un tout petit peu le moral !

Un soir, dans une boîte de nuit, j'ai proposé à la cantonade, à qui voulait, de me retrouver à l'aéroport le lendemain. Et le lendemain, il y avait la nana d'un copain, avec ses bagages et son passeport.

On a filé le « parfait » amour pendant un moment. J'étais amoureux comme je l'ai été vingt fois, mais elle était présente, elle m'attendait, elle me « portait » en quelque sorte. Je m'entraînais bien, je jouais sérieux, je ne faisais plus la fête, elle comblait mon terrible manque d'affection et je gagnais des matches. Et puis, comme d'habitude au bout de dix jours de lune de miel, l'horreur, plus envie de la voir, plus possible de lui parler, bloqué, écœuré. Elle, triste, moi, odieux. Elle, envolée vers Paris. Moi, muré dans mes contradictions, dans ce déséquilibre permanent sanctionné dans les colonnes « résultats sportifs » par de super matches et des matches totalement nuls au gré de mes amours improbables.

Un mot sur les médias, l'aspect négatif des médias. Il y en a de très positifs. Certains journalistes ont une manière souvent très cruelle de présenter l'athlète. Je trouve que ce qu'ils appellent leur objectivité est généralement un *a priori* négatif. Ils ont trop l'habitude de dénoncer au lieu de chercher à comprendre. Aussi, j'interdis aux sportifs avec lesquels je bosse de lire les journaux, d'écouter la radio, ou de regarder la télévision. Et même de répondre à une interview car sous une question apparemment anodine se cache souvent le doute du journaliste et le sportif en cours de préparation, donc en parfait état de vigilance, captera ce doute et l'intégrera : « Pourquoi m'a-t-il demandé si j'étais sûr de mon coup droit ? Pourquoi m'a-t-il reparlé de mon ancien entraîneur ? De ma dernière finale perdue ? De ma femme ?... » Qu'importe la réponse, un élément parasite vient de faire irruption dans le mental du sportif et la dynamique positive s'en trouve freinée.

Qui dit presse dit public. Le public n'a qu'un seul défaut. Attiré par des tonnes d'informations, d'histoires, de sensations diverses, il papillonne, il ne va pas au fond des choses, c'est normal.

Pour lui, tout n'est qu'apparences, tout est éphémère. Vous croisez un inconnu : « Alors, il paraît que... » Il vous sort un truc bizarre, passe son chemin, il a déjà oublié... Et vous, vous êtes là à vous demander ce qu'il a bien voulu dire. D'où l'importance de rester dans sa bulle quand on commence à préparer une compétition ou toute autre échéance dans sa propre vie.

Les gens ne se rendent pas bien compte du cheminement qui amène un athlète du projet à sa consécration. Ils nous avaient laissés à l'US Open et nous retrouvent à Malmö sans se préoccuper de ce qui s'est passé entre-temps. Or c'est justement ce qui s'est passé entre-temps et entre nous qui nous aura fait gagner.

Le public ne sait pas que la clé du mystère se trouve dans le rapport : « quinze jours de boulot intense pour deux secondes de bonheur ». Il n'en a pas envie d'ailleurs.

Pour lui, seules comptent les deux secondes inoubliables. Nous, dans les voitures sur les Champs-Élysées, nous sommes fiers. Mais pas fiers d'être fêtés. Fiers de ce qu'on a fait. On est les seuls à savoir d'où on vient. On se regarde et on rigole, on est heureux ensemble parce qu'on sait que deux semaines auparavant, on ne valait pas 1,50 franc sur notre plage de Quiberon balayée par la tempête et le froid. On était des rien-du-tout et là, on est des héros, reçus par le président de la République, acclamés par la foule, on descend les Champs Élysées ! Les gens sont contents et nous, nous nous disons que ça valait la peine d'aller si loin en nous-mêmes. C'est ça qui nous relie à ce moment-là. On se dit qu'on a eu du pot. Mais on sait qu'on n'en aurait pas eu si on n'avait pas tant donné.

Je repense à ces images de notre réception à l'Élysée et je flippe. Je réalise que je n'ai pas agi comme j'aurais dû. Je le regrette. J'ai manqué non pas de courage, mais d'à-propos. Je ne voulais pas aller à l'Élysée. Je voulais marquer le coup, manifester personnellement contre une politique que je n'approuve pas, mais je me suis laissé convaincre du fait que mon absence serait préjudiciable à l'équipe. Bref, j'y suis allé à contrecœur et à présent, je regrette de ne pas leur être rentré dedans. De qui je parle ? De Jacques Chirac et de Guy Drut* aussi qui, malgré notre « amitié », devient très politicien quand il s'agit de s'investir pour le développement du tennis dans les cités. Ça n'a pas l'air de l'inspirer, à moins qu'il ne puisse rien faire, ce qui est peut-être pire. Quelle déception ! À l'Élysée, je regrette d'avoir été trop *peacefull*. Je n'ai rien transcendé, rien fait avancer. Ils cautionnent une politique qui encourage la délation, ils ont une position inqualifiable vis-à-vis des « sans-papiers » — et moi, au lieu de me servir de mon poids, je leur ai fait courbettes et sourires. Pourrai-je me consoler en me disant qu'ainsi j'ai évité de mélanger sport et politique ? Jamais ! Car en nous invitant à l'Élysée, en posant avec nous devant les photographes, qu'ont-ils fait d'autre que de récupérer politiquement un événement sportif ? Et c'est normal, d'ailleurs le sport EST la vie.

Mais quand je vois ma tronche sur la photo officielle, ça me débecte parce que le sort des « sans-papiers » me touche terriblement et que je n'ai pas agi en leur faveur. Au contraire. Je ne me suis pas servi de cette chance de me trouver à l'endroit idéal, dans un moment idéal pour leur venir en aide et dire ce que j'avais à dire. OK, mon retard a pu être interprété comme un acte réprobateur mais je crois plutôt qu'ils se sont dit : « Vous connaissez Noah, il est un peu olé-olé ! »

J'aurais dû faire en sorte qu'ils n'aient aucun doute sur ce que je pensais. Heureusement que ce bouquin me donne l'occasion de rétablir la vérité. J'ai voulu la jouer « officiel-capitaine ». J'aurais mieux fait d'écouter ma petite voix intérieure. On ne devrait jamais cesser de l'écouter. Je le sais bien pourtant !

18
L'entraîneur

> Dans bien des sports, sont considérés comme "bons" les mômes qui ont une belle technique et bons les entraîneurs qui savent bien l'enseigner.

Si la pollution de l'esprit peut provenir de l'extérieur, l'ennemi se cache parfois à l'intérieur.

Pas forcément plus facile à combattre.

L'athlète intérieur doit faire face à des automatismes acquis par l'éducation et à d'autres liés à sa nature profonde. Au moment où l'athlète est assez mûr pour se responsabiliser, il doit écouter sa voix intérieure, mais il doit s'assurer qu'elle parle *juste*. Un enfant, à qui on a répété durant toutes ses premières années, qu'il n'arriverait jamais à rien, peut très bien franchir toutes les étapes et rater les plus importantes parce qu'il est en quelque sorte « conditionné » pour échouer.

Quand on est jeune combien de fois nos profs ne nous auront-ils pas répété : « Tu ne sauras jamais faire ça », « Tu es trop petit », « trop lent ». Trop ! trop ! trop ! Pas assez ! pas assez ! pas assez ! Au bout de toutes ces années on finit par l'accepter, par laisser le doute s'installer, par rendre les armes : « Au fond, *ils* ont peut-être raison. » Et quand la compétition arrive, c'est comme le mécanisme d'une horloge qui se met en route en vous, un tic-tac négatif qui nuit à votre lucidité. Tic-tac, je suis nul, tic-tac, je ne vais pas y arriver, tic-tac, je suis trop con, tic-tac... Ces attaques incessantes de votre esprit critique bloquent votre énergie vitale. C'est un véritable sabotage qui s'opère en vous. C'est pourquoi un travail sur soi-même est indispensable pour prendre en mains les rênes de sa vie. Théoriquement, on est capable de « dealer » avec sa voix intérieure. Quand on arrive à un état de relaxation totale, les idées qui nous viennent à l'esprit sont des idées fiables. S'il y a confusion, gène, chocs, agression, mieux vaut se faire aider par des spécialistes. Certains malaises sont profonds mais en général, une réflexion bien menée, une grande honnêteté intellectuelle vis-à-vis de soi-même, la lecture de certains livres (voir page 247 ceux que j'ai aimés) permettent de se prendre en main.

J'ai eu la chance d'avoir Patrice Hagelauer* comme coach. S'il fallait résumer notre association en un seul mot, je choisirais : « amitié ». Il avait des connaissances indéniables, il pouvait les démontrer, il était enthousiaste surtout j'aimais l'homme. Notre force dans notre rapport c'était que j'avais confiance en lui dans un milieu où plus je connaissais les gens et moins ils m'inspiraient confiance.

Cependant, personne ne peut réussir sans l'aide d'un entraîneur.

Il existe différents degrés de compétence chez les entraîneurs comme dans toutes les professions mais il est important de les délimiter parce que ces qualités sont déterminantes pour l'avenir d'un élève.

Le bon entraîneur est celui qui est capable d'expliquer et de communiquer clairement une théorie par la parole, il parle le langage technique. Il sait montrer un geste à blanc, mimer une attitude. Il ne s'implique pas au-delà de l'enseignement de la technique, l'élève n'en attend pas plus.

Le très bon entraîneur, lui, sait parler le langage du corps. Il est capable de faire une démonstration en situation. En tennis par exemple, il est capable de refaire dix fois de suite une demi-volée jusqu'à ce que l'élève intègre le geste. Ses relations avec le sportif peuvent être durables mais resteront ordinaires.

L'excellent entraîneur parle le langage des émotions. Il inspire, motive, entretient ou ravive la passion de l'élève qui à travers lui ne cesse de vouloir s'améliorer.

L'excellent entraîneur est toujours attendu impatiemment. Ses paroles sont recueillies comme une matière précieuse. Enfin, l'Entraîneur Majuscule réunit toutes ces qualités à la fois. Il est tour à tour technicien et confident. Il possède une vision globale du sport et une autre au microscope des motivations de la personne dont il s'occupe.

En 1991, les joueurs avaient besoin de quelqu'un qui touche leur émotions. Ce que je suis parvenu à faire, mais cela n'aurait rien donné si autour de moi, d'autres personnes n'avaient assuré dans les autres compartiments de la préparation. À nous tous, entraîneurs, kinés, préparateurs physiques..., nous étions devenus l'Entraîneur Majuscule. Je ne désespère pas d'arriver un jour à ce degré de compétence.

Mais c'est difficile. Il faut une grande expérience du sport et des hommes. Quand je jouais, certains entraîneurs me disaient : « Tu pourrais mieux faire. » Mais personne ne me disait comment, parce que personne ne savait. Tout le monde possédait sa théorie : « Il faut s'entraîner plus, il faut faire des sacrifices, il faut être sérieux, il faut changer de prises, etc. » Mais personne ne savait l'essentiel, c'est-à-dire comment m'aider à tirer le meilleur de moi-même ! Personne ne savait comment donner une autre dimension à l'effort, ni comment transformer une carrière bien ordinaire en véritable aventure moderne. Ce n'est pas ce que l'entraîneur dit qui compte mais ce que l'élève perçoit. Ne l'oublions pas.

Et si en France, on ne compte pas tellement d'Entraîneur Majuscule, c'est en partie à cause d'une erreur de diagnostic à la base.

Dans bien des sports, sont considérés comme « bons » les mômes qui ont une belle technique et bons les entraîneurs qui savent bien l'enseigner.

Prenons l'exemple du tennis. Tout l'enseignement est basé, en gros, sur des stéréotypes. Tout le monde s'acharne à faire du Sampras et si vraiment le môme est réfractaire au beau jeu, on fait de l'Agassi*. Or, à mon sens, le style est le dernier des critères. L'essentiel, c'est le mental du gosse. C'est son regard, c'est son entourage, c'est son rapport avec son coach, c'est son énergie à vouloir frapper la balle. C'est sa joie de jouer, sa détermination hors normes. Je ne comprends pas comment on peut encore comparer les données techniques et l'*attitude*. Il n'existe aucun point communs techniques entre Graf, Pierce, Becker*, Ivanisevic*, McEnroe, Lacoste*, Connors, Borg*, ou Ashe. En revanche il existe un point commun entre eux tous et Carl Lewis, et Marie-Jo Perec, et les Barjots, et l'équipe du Brésil de Pelé, c'est un mental d'enfer ! Elle est là, la source ! C'est là qu'il faut aller les chercher les mômes ! Ceux à qui il faut faire remonter les filières ce sont les enfants dont la joie de vivre, « l'éclate » passe par l'amour du jeu et l'ambition d'être « le plus fort du monde ». Un rêve sans limite.

C'est dans cette démesure que se cachent les graines de champions, pas dans le beau geste technique.

C'est pourquoi l'Entraîneur Majuscule est forcément capable d'influer positivement sur le mental de l'athlète. Et pour agir efficacement, il doit être compris, donc écouté, donc respecté, donc ÉLU.

Le meilleur exemple qui me vienne à l'esprit ? John Smith*. Quel travail exceptionnel a-t-il accompli avec Marie-Jo Perec. Ne l'a-t-il pas amenée à déclarer dans *L'Équipe* : « Je suis exceptionnelle » ?

Quand je lis des témoigagnes de coaches qui ralent parce que leur « élève » ne les écoute pas, moi je plains surtout l'athlète d'avoir un coach qui ne sache pas se faire entendre. Guy Forget m'a rappelé une anecdote qui date de 1991, à Lyon. À un moment, je lui ai demandé : « Tu veux que je me casse, ou quoi ? Tu veux que je me taise ? Tu veux quoi exactement parce que ça fait deux jeux que je te parle, et tu ne m'écoutes plus. » Ça l'a fait réagir, il s'est rebranché et il est revenu dans le match. Ça a fonctionné cette fois, ça ne marche pas toujours.

Un Entraîneur Majuscule ne perd jamais le contact avec son élève, même dans les pires moments, même dans le silence, même quand l'athlète souhaite agir seul. D'épreuve en épreuve, une relation fructueuse, riche pour les deux se développe. De telles relations entraîneur-sportif existent, mais elles sont rares.

Quand on connaît Marie-Jo, qu'on se souvient du peu de confiance qu'elle avait en elle, lorsqu'elle était encore en France, c'est fabuleux ! Souvenez-vous de ses déclarations à la suite de ses deux médailles aux Jeux : « Je suis exceptionnelle, et je l'ai découvert un peu trop tard. Dommage que les gens avec qui j'étais auparavant ne m'aient pas poussée davantage. J'ai perdu beaucoup de temps. » Et encore : « Quand John (Smith) essayait de me persuader que j'étais différente, je me marrais. Aujourd'hui, j'en suis certaine. »

L'entraîneur des Chicago Bulls, Phil Jackson* a tout
compris lui aussi. Il parle d'hommes, d'aventure humaine,
d'accomplissements. Il a instauré un pact entre les joueurs
et les gars sont forts sur le terrain parce qu'ils le respectent tout en restant eux-mêmes. Jackson a fait rentrer Rodman*, le fou furieux pour créer un déséquilibre mais sans
mettre l'équilibre du groupe en péril, c'est du « mental
sur mesure », c'est très, très fort. J'admire...

19

La vigilance dans le succès

> Chercher c'est la clé de l'épanouissement : chercher à comprendre, chercher à en savoir plus, chercher à s'améliorer, chercher c'est le moteur de la vie.
> Et dans cet ordre d'idées, vous êtes cuits si vous estimez que la victoire, c'est une fin en soi

Plus vous avancez dans ce que vous avez entrepris et plus vous avez de mal à trouver des gens susceptibles de vous faire remarquer vos erreurs. C'est Tapie qui parlait de cela il n'y a pas si longtemps sur Europe 1. Il expliquait sa « chute sociale » en disant qu'au début, son entourage discutait chacune de ses décisions, mais comme il avait du flair, du caractère et un instinct développé, comme il avançait droit devant, il avait presque toujours raison. Si bien que de moins en moins de gens autour de lui ont jugé bon de le mettre à l'épreuve : « Bernard ? Il a sûrement raison ! » Et il a ajouté au micro en guise de confidence : « Et moi-même j'ai fini par le croire. »

Quand les sonnettes d'alarme ont retenti, il les a ignorées. Forcément, il devait être écrit quelque part qu'il avait toujours raison.

Petite fable moderne et triste pour expliquer que c'est finalement dans le succès qu'il faut être le plus vigilant. Pourquoi les petits battent les gros ? Parce que les petits sont souvent plus exigeants sur les détails et que c'est toujours sur les détails qu'on peut faire la différence. Quand vous gagnez, vous devenez moins exigeant envers vous, vous vous relâchez (privé d'objectif, c'est normal) mais le plus grave, c'est que vous n'éprouvez plus le besoin de chercher.

La victoire n'est pas le bout du chemin. Dieu merci, c'est seulement un panneau indicateur. C'est un signe que vous êtes dans la bonne direction. Mais en aucun cas, la garantie de ne pas vous perdre au prochain croisement ! Aujourd'hui après la victoire de Coupe Davis en finale (et malgré notre défaite en Australie), je traverse une période où les gens sont contents de moi. Partout où je vais, je suis bien accueilli. Ça me fait plaisir, bien sûr, mais cela ne m'empêche pas d'avoir en tête tout ce qu'il me reste à améliorer pour correspondre à l'idée que j'ai de mon potentiel. Je ne suis pas sûr que les gens que je rencontre aient compris ma démarche. Dans leurs yeux, je me vois figé, installé dans une image de mec cool et généreux, rassembleur : la *bande à Noah*. Dans leur regard je vois des clichés. Alors que je rêve d'éveiller chez les gens l'envie d'action, l'envie d'améliorer leur vie, donc celle de leurs proches, et puis des moins proches et ainsi de suite de cercle en cercle, comme des ronds dans l'eau. Une vraie envie d'action. Je ne m'aime pas sur papier glacé et c'est pourquoi j'écris ce livre. Et j'en attends les critiques, les questions, les réserves. J'attends les gens qui vont loyalement relever le débat. J'attends de pouvoir écrire le tome 2, comme j'attends d'autres matches de Coupe Davis ou de Coupe de la Fédération. Et d'autres défis : d'autres victoires, d'autres défaites. Pour progresser à travers ses épreuves, aller vers d'autres cieux. Je n'ai pas peur de me remettre en cause. Je m'approche d'un truc qui tient la route, qui s'apparente à une forme de ma vérité, une manière simple et élégante de vivre. À un moment je vais maîtriser, et quand je maîtriserai je serai bon, je pourrai aider des gens dans le sport, aider à former des entraîneurs, des joueurs, participer au progrès. J'espère être un jour vraiment opérationnel sur tous les terrains où je choisirai d'aller. En attendant, je continue à apprendre. Mais je ne suis ni impatient ni nerveux. Je ne ressens aucune contrainte. Tout cela m'enthousiasme sans jamais me prendre la tête.

20

Les pétards

> Ce qui est grave dans l'usage des drogues, même douces, n'est pas tant que les jeunes en consomment mais surtout qu'on n'en profite pas pour remettre en cause le système d'éducation. C'est tellement plus facile de montrer les gosses du doigt

Puisque ce livre m'amène à dévoiler mes ambitions et mon goût des responsabilités, je voudrais en profiter pour préciser ma pensée sur « l'usage de la marijuana par la jeunesse française », autrement dit mon point de vue sur les fumeurs de pétards.

Mal se nourrir, fumer, boire trop, se droguer, c'est mal, bien sûr, et je ne dirai jamais le contraire.

Mais ça, c'est un avis théorique. Une forme d'idéal. Maintenant, il y a la vie. La réalité. Et quand on a besoin d'un palliatif parce que les épreuves qu'on traverse paraissent insurmontables, boire un petit coup, fumer un joint, ça *peut* faire du bien. Ça n'empêche que ce n'est pas bien, mais si on était tous des saints, ça se saurait. Il est hypocrite de ne pas le reconnaître. On peut être parfaitement sain et avoir des moments de faiblesse sans pour autant mériter le mépris des autres. Que celui qui ne s'est jamais couché complètement cassé et réveillé le lendemain prêt à réattaquer la vie à pleines mains me lance la première critique !

Quand un môme embringué dans un système type école de foot est, comme cela arrivé à tout le monde, saisi par le doute, je ne vais pas lui couper la tête parce qu'il s'est offert un dérivatif avec ses copains. Je ne vais pas le traiter d'alcoolique ou de drogué au premier écart. Mais étant conscient — au même titre que les bien-pensants d'ailleurs — que le môme en question court un risque, celui de devenir dépendant à une drogue quelconque, je vais essayer de lui porter secours au lieu de l'enfoncer.

Je m'insurge contre les gens qui les condamnent non pas parce que je suis contre l'autorité mais parce qu'au lieu d'aider les jeunes, ils les détruisent un peu plus. Pour moi un gosse qui fume un pétard, ça veut dire « feu rouge clignotant » ça veut dire « SOS il y a un truc qui ne va pas », parce que quand on est bien dans sa peau on n'a pas envie de fumer. On n'a pas envie de polluer son corps. Donc si on le fait c'est qu'on est mal et qu'on accepte de s'enfoncer encore plus.

Si je surprends mon gosse en train de fumer, je ne lui mettrai certainement pas deux claques. Je m'assiérai à côté de lui, on essaiera de parler et, tous les deux, de refaire le chemin en arrière pour savoir à quel moment ça a déconné. À quel moment il a été submergé par ce qu'il a tant de mal à supporter, et comment faire pour qu'il se sente à nouveau assez fort pour faire face aux difficultés sans produits stupéfiants.

C'est pourquoi ces histoires de sanctions de six mois pour les footballeurs prétendument *dopés*, ça me fout en l'air. Il ne faut surtout, surtout, surtout, pas les priver de la seule chose qu'ils font bien, la seule chose où ils peuvent se sentir bons, la seule chose qui les différencie des autres même si parfois ils en souffrent : à savoir le foot. Le sport en général, la compétition.

Le sport est plein de tricheurs, de médecins véreux, de circuit de pognon pour un dopage organisé et on va aller mettre au banc de la société des mômes qui ont fumé un joint ? On va leur enlever leur raison de vivre, leur espoir de bonheur au nom de l'« exemplarité du sportif » et continuer à accepter comme une fatalité que dans les lycées des jeunes fument des pétards ? Mais si je dois suivre ce raisonnement au pied de la lettre, si je dois suivre l'exemple des politiques en matière d'éducation et de répression, le jour où je vois mon gosse fumer un joint, qu'est-ce qu'il m'est recommandé de faire ? De le juger en cinq minutes, de le montrer à tout le quartier comme un criminel, de l'enfermer dans la cave, de lui lancer du pain sec, et de ne le ramener à la table familiale que huit jours plus tard sans un mot d'explication. Et vous croyez que ça va l'empêcher de déconner ? Moi, je crois que moins de six mois après on le retrouve avec une seringue dans le bras ! Avoir un père aussi con, ce serait désespérant, non ?

Ce qui est grave dans l'usage des drogues, même douces, n'est pas tant que les jeunes en consomment mais surtout qu'on n'en profite pas pour remettre en cause le système d'éducation. C'est tellement plus facile de montrer les gosses du doigt.

Les adultes sont là pour accompagner les jeunes dans leur rêve. Pas pour les mettre en prison.

Le jour ou les politiques voudront bien se rendre

compte que, si une partie de la jeunesse cherche à se détruire et à casser ce qui l'entoure, ce n'est pas parce qu'elle est faible ou violente mais parce que eux, les politiques, ne font pas leur boulot, on aura déjà franchi un grand cap.

Personnellement je ne fume plus. Parce que je n'ai plus besoin de fumer, et pas parce que j'ai peur d'aller en prison. La vraie prison, c'est la dépendance au tabac, à l'alcool ou à la drogue. Je me sens libre par rapport à ça, ce qui ne m'empêche pas de craquer une fois de temps en temps, mais ce n'est pas trop grave. Au contraire : j'essaie de trouver les raisons qui m'ont amené à le faire. La drogue, ça n'a jamais été un vice. C'est un signal de détresse, un cri d'alarme. C'est de se boucher les oreilles qui est criminel.

21

Le contrôle et la lucidité

> Pour Devenir un athlète intérieur, il faut une grande lucidité et beaucoup de courage, le courage de se regarder en face. Ce courage là ne se mesure que dans des situations extrêmes

L'athlète intérieur est toujours lucide sur lui-même et ce qui l'entoure. Or le sportif qui prendrait des drogues (dites « récréatives ») régulièrement échapperait à son propre contrôle alors que même en état d'extrême vigilance, le parfait contrôle de soi est quelque chose de très difficile à obtenir et à conserver. C'est une lutte de tous les instants contre l'illusion, contre la tentation de se cajoler soi-même.

Parfois un concours de circonstances fait qu'on gagne un match qu'on aurait tout aussi bien pu perdre. C'est la pire des choses qui puisse vous arriver. Une seule victoire peut vous faire oublier que la veille encore vous étiez à la rue. À ce propos, j'ai bien aimé que Mary Pierce se *réjouisse* d'avoir perdu en finale des Championnats d'Australie contre Martina Hingis*. Car elle a compris qu'elle ferait du meilleur boulot à partir de cette défaite méritée qu'après une victoire acquise contre la logique de la hiérarchie.

Autre exemple. Celui d'un grand club de foot parisien que j'ai côtoyé en 1996. Trois jours avant la finale, tout était remis en question par les dirigeants. Et quand je dis tout, c'est vraiment tout : l'organisation, la politique sportive, l'encadrement et même les joueurs. Sympa pour les joueurs, d'ailleurs, mais passons. Et puis l'un d'eux s'est trouvé sur la bonne trajectoire, le ballon a filé vers les buts. Goal ! Et alors là, un vernis a totalement recouvert les failles qui existaient avant le match sans aucune chance de les combler évidemment. C'est le type même de victoire bien plus nocive finalement que la plus cruelle des défaites. Dieu sait pourtant si j'ai été content de voir gagner les joueurs parce que je les aime bien, mais j'ai très vite réalisé qu'une défaite leur aurait été plus salutaire au club. La victoire n'a fait que le précipiter un peu plus dans le vide.

Un tempérament de champion répond à une seule règle, je le répète : ne jamais commettre deux fois la même erreur (encore faut-il repérer l'erreur). Et comment éviter de commettre deux fois la même erreur ? En acceptant de se voir tel qu'on est, en sachant reconnaître TOUS ses torts. Vous avez perdu et vous êtes malheureux ? C'est un début, c'est bien, c'est bon signe. Preuve que vous réagissez. La pire des choses qui puisse arriver à un alcoolique c'est de ne plus être incommodé quand il boit. Il ne dispose plus d'aucun garde-fou naturel et passe la limite. « Pourquoi boire moins aujourd'hui qu'hier puisque mon corps ne se plaint pas ? » En sport au moins l'athlète a l'avantage d'être alerté par la défaite. Non seulement il faut que la défaite existe mais il faut qu'elle fasse mal. Horriblement mal. (Sauf quand l'adversaire est trop largement supérieur, bien sûr). Mais il faut que votre orgueil soit touché, votre conscience ébranlée, votre corps laminé, que tout votre être ait (presque) envie d'abandonner.

La plus haute marche des podiums est peuplée d'immenses champions qui un jour se sont sentis minables et ne l'ont pas supporté.

L'athlète idéal, bien sûr, n'aurait pas besoin d'en arriver là pour réagir, car il aurait tout compris par lui-même, mais dans la réalité, nombreux sont les champions qui ont bâti leur carrière en réaction à une violente frustration.

Avec le recul, je suis certain que je n'aurais jamais gagné Roland-Garros si je n'avais pas perdu à Monte Carlo, en 1983, un match à ma portée contre Manuel Orantès*. Si cette défaite ne m'avait pas touché tout particulièrement, je n'aurais pas mis en place un processus « extra-ordinaire » de préparation, et donc je ne me serais pas élevé au niveau d'un vainqueur potentiel d'un tournoi du Grand Chelem. Que je vous dessine vite fait mon profil de joueur à l'époque : mon objectif « gagner Roland-Garros » était quelque chose d'abstrait dans mon esprit, un truc que je disais sans le matérialiser « *vraiment* », je n'avais pas de discipline de vie ni d'entraînement, je prenais un match sur quatre par-dessus la jambe, je manquais de respect vis-à-vis de mes adversaires, je n'aurais pour rien au monde pu dresser la liste de mes faiblesses, je préférais toutes les occasions d'enrichir ma vie personnelle à toutes performances sportives. Tous ces « défauts » me sont revenus dans la gueule lors de cette

défaite contre Orantès. Soudain tout mon comportement
m'a paru absurde. Et soit je mettais tout en œuvre pour
gagner Roland (mais alors « TOUT ») soit j'admettais que
je ne le gagnerais jamais et je faisais autre chose. J'ai
opté pour la première solution en mettant au point un vrai
plan de route avec Patrice Hagelauer, une sorte de compte
à rebours vachement précis avant le jour J (deux mois
environ) et voilà comment la victoire est devenue non pas
certaine, mais *possible*. Seulement *possible* et c'était déjà
pas mal.

Hélas, je n'ai jamais plus retrouvé consciemment ou
inconsciemment la force de remettre en route un tel processus pour moi-même durant ma carrière, mais comme
capitaine je n'ai rien fait d'autre que d'organiser toute
l'action par rapport à un but précis, comme on tend un
arc pour envoyer la flèche dans le mille.

On dit souvent : « Ah ! l'athlète français, il est comme
ça, il a des hauts, il a des bas ! » Il n'y a rien qui m'agace
plus. Ce n'est pas qu'il a des hauts, qu'il a des bas, c'est
qu'un jour il bosse bien et un autre il ne bosse pas bien.
Un jour il se fait confiance, un jour il ne se fait plus
confiance. C'est aussi simple que ça. Un jour, il est
concentré sur ce qu'il fait, l'autre pas. Arrêtons de balancer ce genre d'analyse à l'emporte-pièce sur la nature du
sportif français, arrêtons de mettre dans la tête des mômes
qu'il s'agit d'une fatalité, d'un atavisme regrettable et
bossons !

Il faut commencer par creuser : « Pourquoi ma volonté
de bien travailler est-elle branchée sur l'alternatif ? »
Voilà la bonne question ! En général, l'explication, on la
trouve dans le climat qui entoure le joueur, dans la qualité
de ses rapports affectifs. Parfois, des « nœuds » se forment et s'il ne parvient pas à les défaire seul, si personne
ne lui vient en aide, il continuera à « mimer » l'entraînement mais il ne sera plus « présent ». Et là, il pourra passer cinq heures par jour sur un terrain, il n'en tirera pas

le moindre bénéfice. Il perdra et il dira : « Je ne comprends pas, je fais des efforts, je m'étais bien entraîné et j'ai eu un jour sans », ou « je n'ai rien à vous dire » ou pis, « je ne sais vraiment pas quoi vous dire ». Quand je lis ce genre de commentaires dans un journal, j'ai envie de le déchirer en petits morceaux !

Il peut y avoir une différence fondamentale entre deux joueurs éliminés d'une compétition pour la même raison. Le premier va déclarer : « J'ai perdu parce que mon service n'a pas fonctionné. » Et il attendra le lendemain pour commencer à travailler ce coup. Le second fera la même réponse, mais une fois sorti de la conférence de presse, il retournera sur le terrain. Pas longtemps, juste une demi-heure, juste le temps d'effacer l'erreur, de reprogrammer l'ordinateur, de s'assurer que le lendemain, à coup sûr, tout sera bien en place. À certains moments de ma carrière, j'ai fonctionné ainsi et je vous jure que cela a toujours, toujours, toujours, été suivi de résultats positifs.

Ce ne sont pas les quatre balles que j'avais frappées qui m'avaient remis sur orbite, non, c'est la démarche, la symbolique de l'attitude.

Si vous regardez bien les choses en face : depuis le temps que vous lisez les mêmes commentaires des mêmes sportifs, répétant les mêmes « mea culpa », vous devez bien finir par sentir qu'ils se foutent du monde, non ? Moi je suis sûr que s'ils s'étaient vraiment imprégnés de ce qu'ils disent, et bien, ils n'auraient tout simplement plus à le dire ! Parce qu'ils en seraient à raconter leurs victoires ! La différence entre le sportif ordinaire et l'athlète intérieur n'est pas dans le discours : ils ont rigoureusement le même. Mais l'un est sincère, et l'autre pas ou moins. L'un agit en conséquence, et l'autre fait semblant. Il triche. Pire même, il se ment à lui-même.

Analyser seulement au coup par coup chacun des éléments qui ponctuent votre vie, c'est diminuer votre potentiel de moitié. Il faut s'efforcer de les relier les uns aux autres pour comprendre votre mode de fonctionnement car rien de ce qui vous arrive aujourd'hui n'est indépendant de vos expériences.

C'est pourquoi, qu'on soit gagnant ou perdant, un carnet de bord est à mon avis complètement indispensable. Vous êtes en forme, vous réussissez tout ce que vous entreprenez ? Notez ! Ne vous grisez pas ! Notez ! Comment vous vous êtes détendu, la manière dont vous vous êtes nourri, votre attitude vis-à-vis de vos proches, etc... Imaginez que ces infos sont comme les cailloux du Petit Poucet, et qu'elles vous permettront de retrouver votre chemin quand vous vous perdrez à nouveau.

De même, quand vous êtes en situation d'échec, notez ce qui vous gêne, et si vous nagez dans le flou, contentez-vous de vous poser des questions claires : pourquoi est-ce que je me crispe quand telle personne de mon entourage s'adresse à moi ? Pourquoi je me gave de nourriture alors que je n'ai pas faim ? Pourquoi je rigole fort alors que j'ai envie de pleurer ? Pourquoi suis-je si fatigué ? Où est passé le plaisir ? Souvent, il disparaît quand l'effort semble disproportionné. Le découragement vous gagne. Or si l'objectif a été bien évalué au départ, l'effort ne doit pas sembler démesuré.

Sauf si on n'a pas mis tout ce qu'on a en soi au service de son rêve, bien sûr. Dans *Le Guerrier pacifique* de Dan Millman, un des mes bouquins préférés, l'auteur raconte la relation quasi surnaturelle entre un élève et son Maître. Le Maître incite l'élève à dresser la liste de tous les « sacrifices » qu'il doit consentir pour atteindre la perfection qu'il recherche (il est gymnaste). Parmi les « contraintes », figurent (bien sûr) une alimentation saine et une vie d'ascète. Tous ses amis, qui ne comprennent pas le sens de sa démarche (être un sportif de haut niveau ou un athlète intérieur, c'est se détacher du commun), multiplient les invites, les tentations : « Viens donc boire un petit coup, manger une pizza, un McDo... » Une fille cherche à l'entraîner dans son lit. Lui connaît son objectif et *sait* que pour l'atteindre une vie monacale est indispensable tant qu'il n'aura pas touché au but. Il en a parlé avec le Maître, l'a intégré dans son cerveau. Mais il a du mal à résister car il se sent bien seul dans son rêve. Un jour, il est au bord du précipice. Mais il comprend une chose importante : s'il craque par faiblesse, parce qu'il se laisse entraîner, ce sera grave. Ce le sera beaucoup moins, s'il craque en ayant choisi *délibérément* de se faire des concessions. À condition, souligne le Maître, d'accepter en même temps de baisser un petit peu le niveau de l'objectif ! Ou d'en différer la réalisation.

Même si l'accomplissement d'un rêve exige une discipline personnelle sans faille, on peut décider de temps en temps de se laisser aller. Mais il faut le décider soi-même, le faire en toute connaissance de cause, sans oublier de baisser le niveau de ses prétentions, ou au moins de retarder l'échéance de la réussite. En somme, se dire : « OK, je fais une entorse à ma préparation, pour telle raison mais je sais que je n'atteindrai pas l'objectif fixé, du moins dans les temps. » Vous remarquerez que le fait d'exposer la situation en ces termes peut vous permettre de renoncer à dévier de votre route. Mais même si vous persistez, sachez que la pire des choses est de fixer un but, de définir la somme de travail qu'il faut pour y arriver, d'en faire dix fois moins, et de s'étonner ensuite de ne pas l'atteindre. La démonstration peut vous paraître naïve, inutile et pourtant j'y tiens parce que je connais tellement de sportifs dont la carrière est calquée sur ce genre de contradiction.

La première fois que j'ai buté avec les joueurs français, ce fut en voulant défendre ce genre de principes fondamentaux. J'ai dit (publiquement) : « Vous n'êtes pas des *guerriers*. » Mon erreur a été de faire cette déclaration publique sans penser à préciser le sens que j'accordais au terme « guerrier ». Un guerrier pour moi, c'est quelqu'un qui combat avec bravoure ses démons intérieurs et ses propres contradictions, tout ce qui l'empêche d'atteindre le but fixé.

Mon guerrier, loin du confort matériel mais soucieux de celui de l'esprit, cherche à accomplir ce pour quoi il est fait, ce qu'il a choisi, ce qu'il sait faire de mieux. Il se sent en harmonie avec sa nature. Il est attentif. Plein de bravoure et en même temps, gentil. Voilà ce que je voulais dire en déclarant à propos des Français « Ils ne sont pas des guerriers. » Je leur ai fait du mal, je les ai blessés et m'en suis excusé. Mais je me suis excusé sur la forme de mon discours. Pas sur le fond. Je ne me suis pas exprimé au bon moment, ni dans les meilleures conditions, mais j'ai toujours maintenu mes propos sur le fond. Ce serait laisser le tennis français faire fausse route que de me renier. Un athlète intérieur ne pleure pas sur lui-même. Il accepte la critique.

Et reste toujours lucide quant au rapport investissement/ résultat. L'athlète intérieur ne s'émeut pas de perdre au premier tour quand il n'a pas fait en sorte de pouvoir atteindre la finale. L'athlète intérieur ne se leurre pas lui-même. Et ne cherche pas à leurrer les autres.

Quand j'ai expliqué cela, je me suis retrouvé dans la peau d'un professeur de musique qui proposerait à ses élèves de travailler une sonate et qui réaliserait qu'en fait de sonate, on ferait mieux de reviser un peu le solfège. J'avoue que ça m'a dérouté sur le moment. Et si finalement on a réussi à jouer une belle symphonie à Malmö, c'est justement parce qu'on est revenu aux gammes. Néanmoins je garde un œil sur les générations futures car aucun travail ne se fera en profondeur s'il n'y a pas d'action réelle et organisée pour revaloriser les qualités de base de mon *guerrier* dans l'esprit des jeunes espoirs du moment. Pour l'instant, et en tennis du moins, rien de déterminant n'est entrepris dans ce sens.

Pour devenir un athlète intérieur, il faut une grande

lucidité et beaucoup de courage. Le courage de se regarder en face. Ce courage-là ne se mesure que dans des
situations extrêmes.

Vous me voyez détendu dans mon hamac, en train de
siroter du thé, l'air d'être en total contrôle. Mais attendez
de me placer dans une situation extrême pour connaître
vraiment mes qualités, et mes limites. Peut-être aurai-je
le courage de me voir en vous comme dans un miroir et
d'accepter ce que je suis. Mais peut-être pas. J'essaierai
alors de masquer mes faiblesses, de vous faire changer
d'avis, de vous raconter n'importe quoi pour vous faire
douter de vos conclusions. Qu'aurai-je pourtant à y
gagner ? Serez-vous dupe si je manque de bravoure ?

Je connais un garçon bourré de talent qui ne s'est
jamais mis en face de lui-même. Il refuse de se voir tel
qu'il est. Il refuse la responsabilité d'être lui. Il a tellement besoin de se voir « beau » qu'il nie ce qui est « mo-
che » dans son style. Moyennant quoi il n'avance pas
comme il devrait. Confusément, il connaît la vérité, mais
la fuit, la refuse. Il ne s'entoure que de gens qui le voient
« beau ». Si quelqu'un lui fait une remarque fondée, il fait
semblant d'en prendre bonne note, mais évite le « gê-
neur » autant qu'il peut. Et chaque match qu'il entame est
pour lui une promesse de souffrance parce qu'il *sait* qu'il
n'est pas prêt à subir la confrontation avec la réalité, et
s'il se bat c'est pour ne pas avoir à affronter son image
dans une situation extrême.

Mon regret ? C'est qu'il ne se comporte pas vis-à-vis
de lui-même comme le ferait son meilleur pote. Qui est
votre meilleur pote ? C'est celui à qui vous demandez de
vous dire la vérité : « Est-ce que j'ai vraiment déconné ?
Est-ce que ce qui m'arrive est ma faute ? » Normalement,
s'il vous aime vraiment, il doit avoir le courage de vous
répondre : « Oui, tu as déconné. » Et ça ne vous empêchera pas de continuer à bien vous marrer ensemble. Agir

envers soi comme un ami qui aurait une haute estime de vous permet de se montrer très exigeant.

Peut-être à la lecture de ce livre, avez-vous parfois l'impression que devenir un athlète intérieur est finalement quelque chose d'assez simple. Pourtant, sur la durée, je vous assure, c'est dur, très dur. Car seule votre constante détermination à atteindre votre objectif peut transformer votre souffrance en plaisir et votre frustration en liberté.

22

Travailler son mental

> L'Art de la concentration est primordial dans tout ce qu'on entreprend : "ici et maintenant" tel est le principe

Le mental, c'est la faculté qu'on a de se concentrer sur un objectif. Le « bon mental » sait faire abstraction de toutes les interférences négatives, gênes, inhibitions, parasites de toutes sortes. Plus vous serez capable de diriger votre esprit sur la direction choisie, plus votre pouvoir de concentration sera fort, et donc plus votre mental sera fort. Il faut une certaine force mentale *naturelle* au départ pour envisager un grand projet de vie, mais ensuite, elle risque de se révéler insuffisante. Il faut la travailler comme on fait travailler un muscle et le meilleur entraînement pour développer cette force mentale, c'est d'apprendre à fixer son regard sur un « objet » le plus

longuement possible. Un joueur de tennis apprendra à
fixer la balle, un judoka son adversaire, etc.

Plus vos facultés de concentration seront développées
et plus vous deviendrez imperméables aux émotions.
L'émotion, c'est la plus délicieuse des sensations au
moment de l'élaboration du rêve, mais elle peut devenir
votre pire ennemie quand vous passez à la réalisation.

Le meilleur exercice que je connaisse pour apprendre
à libérer son esprit de l'emprise des émotions est de
prendre un objet quelconque, un fruit dans une corbeille
par exemple, de le poser sur une table et de le regarder
fixement, sans penser à rien. Au début vous tiendrez
trente secondes peut-être, et puis votre esprit commencera
à vagabonder, vous vous sentirez sans doute un peu ridi-
cule de fixer ce fruit sans raison, mais rapidement vous
apprendrez à dépasser ce cap. En recommençant vous
essayerez de tenir quarante secondes dans votre *cocon*,
puis chaque fois un peu plus. Et vous verrez qu'à force,
le jour où vous aurez besoin de vous concentrer sur
quelque chose, vous serez capable de faire abstraction de
tout ce qui ne sera pas utile à votre entreprise. Par la
seule volonté de votre esprit, vous vous sentirez comme
immergé dans l'essentiel. Pour avoir beaucoup travaillé
dans ce sens, il m'arrive de lire un bouquin dans un tel
état de concentration que j'en retiens vraiment sans effort
apparent toute la substance qui m'intéresse, et ce durablement.

Le but de l'exercice est d'arriver à fixer aussi longtemps que vous le voulez un objet statique, puis un objet
en mouvement (balle ou oiseau) et, à terme (avec beaucoup de pratique), un objet *invisible*. Dès lors vous serez
capable de vous concentrer à volonté. Je vous expliquerai
à la fin du livre d'autres méthodes pour développer cette
qualité essentielle à toute action.

Cette faculté de concentration s'apparente à une sorte
de danse. L'athlète passe d'un état à un autre à la vitesse

de la lumière et parfois sans un regard comme si son esprit était en prise directe avec le mouvement, son corps n'étant qu'un rouage. C'est comme s'il était *dans* le geste. Comme s'il était *le* geste.

Il sait exactement où il est par rapport à l'aire de jeu et connaît le positionnement de tous les éléments, y compris des personnes qui composent son univers. Concentré, l'athlète intérieur a la volonté de se couper du monde, d'éliminer le superflu, tout ce qui entrave son action. Sa force, c'est sa réponse, immédiate et juste, à un besoin précis. Celui qui a déjà expérimenté cet état et qui a appris à le reproduire à volonté fait face aux épreuves avec sérénité, car il sait que quel que soit le problème il pourra offrir la meilleure solution en sa possession.

Mais bien entendu, il y a la théorie et la pratique. Et si la théorie bannit l'émotion, la pratique sait souvent la cultiver. Dans les sports où deux hommes (ou femmes, *of course*) se retrouvent face à face, le contrôle de ses propres émotions fait partie du jeu, mais si vous connaissez les faiblesses émotionnelles de votre adversaire, vous auriez tort de ne pas les exploiter. Patricia Girard*, médaille d'argent au 110 mètres haies à Atlanta, ne s'est pas gênée quand elle s'est aperçue que ses adversaires avaient la trouille : « Je suis arrivée 45 minutes avant la course. Les autres faisaient une tête d'enfer, explique-t-elle, alors je me suis mise à chanter... »

Il arrive que malgré soi, on admire plus ou moins son adversaire, et qu'une sorte de fascination, à la limite de l'envoûtement, empêche de donner le meilleur de soi-même. Je ne connais pas très bien la natation mais j'ai retenu cette confidence édifiante de Popov*, double champion olympique. D'abord il détient l'essentiel, la longévité dans l'effort : « Atteindre un objectif a un prix, dit-il : le travail. C'est encore plus difficile, une fois qu'on l'a réalisé, de voir son rêve fracassé. C'est pourquoi je

nage autant. Pour rester dans mon rêve, dans ma bulle. »
Moyennant quoi, il en impose à ses adversaires en leur
faisant payer leur désir de le battre : « Popov les fascine
parce qu'ils n'ont fait qu'apercevoir la lumière que Popov
regarde tous les jours en face. » Et le journaliste du
Monde qui donne cette analyse ajoute : « Ses adversaires
reconnaissent en Popov toutes les qualités qu'ils possè-
dent et celles qu'ils envient. » « Il est la classe », bre-
douilla l'un d'eux.

Il y a plusieurs façons de déstabiliser ses adversaires.
À ce sujet, je pense qu'à Toulouse, il y a encore des gens
qui pensent que je suis un martien ! Un samedi soir, veille
de finale, je suis dans mon lit, je m'interroge sur ce match
que je dois jouer le lendemain à 13 heures contre le
Tchèque Tomas Smid. Et puis le téléphone sonne. Des
potes : « Viens boire un pot. » Moi : « OK, mais alors
pas longtemps, juste un verre. » Un verre, deux verres,
quinze verres, à 4 heures du mat', je suis ivre mort au
milieu de la piste, trempé de sueur en train de danser
comme un fou. 6 heures, 7 heures, il n'y a plus que nous,
et Georges Goven*, le seul qui avait l'air de comprendre
la (très relative) gravité de la situation. Je sors de la boîte
et je me retrouve en plein soleil, au beau milieu du
marché, à lancer mes vêtements dans une foule interlo-
quée, à me rouler dans l'eau du caniveau et je rentre à
l'hôtel en caleçon avec Goven derrière chargé de toutes
mes fringues. Je demande qu'on me réveille à midi dix
pétant avec un grand bol de café noir, deux croissants,
aspirine-Guronzan. Une minute plus tard, il est midi dix,
j'arrive au club au radar et je gagne 6/2 6/2. Il n'y a pas
toujours de morale dans le sport, il faut le savoir !

J'ai battu des joueurs plus forts que moi techniquement
parce que j'étais plus fort *émotionnellement*. Je leur mon-
trais une image de moi ultra-forte, une image de conqué-
rant à la confiance radieuse. Ce n'était pas moi en tant
que joueur qui leur faisais peur, car s'ils avaient su rester

calmes, ils auraient pu dresser la liste de tout ce qu'ils faisaient bien mieux que moi. Mais c'était la représentation de ma vie, mes « peintures de guerre » qui les agressaient. Il y en a que cela laissait indifférents. Ceux-là, me battaient tout le temps. Et d'autres que j'impressionnais. Il fallait qu'ils soient vraiment en forme pour gagner. Si certains se sentaient mal face à mon agressivité, ma manière de lever le poing, de gueuler, d'autres étaient troublés par mon art de vivre, du moins par les clichés que je véhiculais. Noah, c'était le tombeur, entouré de plein de copains, qui avait des belles bagnoles, qui passait ses nuits à boire du gin dans les boîtes à la mode. Ceux qui s'entraînaient comme des jobards huit heures par jour et qui passaient le reste du temps à dormir ou compter leurs sous, ne se donnaient pas le droit de perdre contre moi, et surtout pas le droit de m'envier. Ils ressentaient une défaite contre moi comme une injustice, un affront ou pire, comme la négation de ce qu'ils faisaient ! Je le savais. Or moi, j'avais le droit de perdre, après tout, c'était dans l'ordre des choses. C'était ma force et j'en jouais. Et ce rapport de force-là était tout aussi important que l'efficacité de mon coup droit sur le revers du joueur.

À l'inverse, il y avait des joueurs qui me cassaient les pieds parce que je ne pouvais m'empêcher de penser que leur « force intérieure » était plus imposante que la mienne. McEnroe était de ceux-là. Comme si je pressentais que toute sa « négativité » était supérieure à ma « positivité ». Moi, j'arrivais à m'exprimer dans une ambiance de fête, de passion et de partage avec le public, tandis que lui jouait dans le registre du conflit, de la haine et de la dérision. Le bouillonnement de ses émotions bousillait mon ambiance. Quand il sentait qu'il était mal, il lâchait volontairement ses émotions les plus haineuses, il tapait sur les glacières, il pétait les plombs tout en contrôlant parfaitement ses sentiments et ça me bluffait.

Borg, lui, c'était autre chose. Il était tellement impas-

sible, qu'au bout d'un moment il vous glaçait l'atmosphère. Vous aviez le sentiment d'être aussi déplacé qu'un
clown à un enterrement, vous aviez presque l'impression
de déranger. Tout glissait tellement sur lui qu'il fallait un
sacré pouvoir d'abstraction pour continuer à s'exprimer.

Il aurait fallu se souvenir que l'objectif était simplement d'arriver à donner le meilleur de soi-même. il aurait
fallu rentrer dans le cocon ! Accepter que l'autre soit ce
qu'il est sans s'émouvoir. Mais à l'époque, je n'avais pas
cette perception.

Si vous tombez sur une « bête » qui vous regarde
comme un dingue, qui vous agresse dans son attitude et
se précipite sur vous à vous en faire carrément peur, surtout ne vous affolez pas. Tentez de l'oublier. Recentrez-
vous sur ce que vous êtes, sur vos points forts. Protégez
ce que vous êtes. Soyez fier de vous. Croyez en vous. Ne
laissez pas son aura écraser la vôtre. Évitez de l'admirer,
évitez de l'envier, il n'est pas *meilleur*, il est seulement
différent. À vous d'imposer votre différence. Et s'il vous
en impose trop, si vous sentez que vous vous laissez bouffer, dégagez-vous, esquivez, allez prendre un petit bol
d'air. TOURNEZ LE DOS à l'action, et ne revenez que lorsque
vous serez vraiment prêt à faire face. Toute confrontation,
qu'il s'agisse de sport ou d'affaires privées ou profession-
nelles, met en présence non pas deux adversaires, mais
deux univers, deux conceptions de la vie, deux *aventures*.
Ne sont forts à ce jeu, si subtil, si délicat, que ceux qui
ont une perception très nette de ce qu'ils sont. Quand la
lutte s'intensifie, c'est toujours celui qui est le plus fier
de ce qu'il est qui l'emporte, d'où la nécessité de vivre
« bien » d'une manière générale et pas seulement dans
son domaine de prédilection.

Ah, la tête des coureurs du 100 mètres en finale des
J.O. ! J'ai un bon souvenir de Barcelone ! On voyait la
façon dont chacun essayait de bouffer de l'espace à
l'autre. Le faux départ étudié pour faire perdre à l'autre

cette once de sang-froid qu'on s'empresse d'encaisser à son propre compte. Que tout cela est subtil ! À ce jeu de l'intox Lindford Christie* était fabuleux. Rien ne bougeait sur son visage. Tout est dedans, invisible, insondable. On croyait presque entendre le tic-tac de la bombe. Je me souviens de Guy Drut à côté de moi, il regardait Christie, il regardait Mitchell*, et les autres et puis il s'est mis à gueuler : « Christie, Christie, Christie, putain, Christie ! ! ! » L'ancien coureur *avait lu* la course dans l'âme de son vainqueur avant même qu'elle ne soit commencée ! Bien vu !

Ce genre de scène est transposable à tous les sports, à toutes les situations de la vie. La volonté des gagnants se mesure à leur attitude. Et qu'on me comprenne bien. Ce n'est pas le tempérament de gagnant qui fait que l'athlète a une attitude de vainqueur, c'est l'inverse : une attitude de vainqueur entraîne un tempérament de gagnant.

N'attendez plus d'avoir confiance en vous pour vous tenir tête haute, buste droit, mais tenez-vous tête haute buste droit et vous verrez que peu à peu, vous commencerez à prendre confiance en vous. Souvenez-vous, à Malmö, Arnaud Boetsch* à 0/40...

Certains joueurs n'ont pas conscience de se détruire eux-même quand ils entrent sur un terrain, voûté, raquette pendante, regard fuyant et qu'à la première balle ratée, ils lancent des « ma grand-mère l'aurait eue », ou des « t'es nuuuuullll » ou encore « mais, va jouer à autre chose »... Oublions le tennis et ses subtilités, et observons deux boxeurs pour mieux se rendre compte de l'importance de l'attitude. Un poids lourd genre Tyson et un challenger : quelles chances le challenger a-t-il de s'imposer s'il ne joue pas sur l'intox ? S'il ne fait pas croire à Tyson qu'il est prêt à le bouffer ? Aucune ! Eh bien en tennis, c'est la même chose, et au boulot aussi.

Je possède une cassette récente assez géniale où Joe Foreman évoque avec Joe Frazier* un de leurs combats :

« Je te regardais bien dans les yeux, lui dit-il, pour que tu me fixes à ton tour. J'avais envie de baisser les yeux parce que j'avais peur de toi. Mais j'ai soutenu ton regard. Et tu sais pourquoi ? Parce que si j'avais baissé les yeux, tu les aurais baissés aussi et là tu aurais vu mes genoux trembler ! » Rétro sur le combat : victoire en un round de Foreman.

Une bonne attitude montée de toutes pièces peut vous insuffler la confiance qui vous manque. À l'inverse, des mauvaises attitudes peuvent vous faire littéralement imploser. Essayez vous-mêmes. Vous jouez au tennis ? Entrez sur un court en faisant *exprès* de traîner les pieds, racler votre raquette par terre, dites tout fort que vous êtes nul, caricaturez le loser parfait. Vous allez rire pendant deux minutes. Mais si vous persistez — et je vous invite réellement à le faire à titre expérimental — votre propre attitude va commencer à vous peser lourdement, vous vous sentirez crevé, triste, le moral à zéro.

La fois suivante, recommencez, mais au bout d'une dizaine de minutes, réagissez, bougez-vous, battez-vous. Allez chercher cette violence intérieure qui vous donne envie de hurler : « Je suis bon ! Je suis brave ! *Come on !* Je me bats ! Si tu veux me battre il faudra me passer dessus », etc. Curieusement, vous vous sentirez léger. Léger et facile.

23

Les vraies motivations

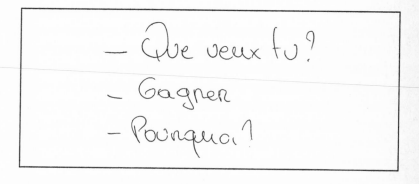

Ainsi la concentration n'est-elle possible que lorsque le mental est libéré et soulagé de toutes sortes de pollution ou de distraction. Trop de passion nuit gravement à la concentration. L'action ne trouve sa véritable dimension que lorsqu'elle est saine ou approchée sainement avec de *vraies* motivations, qu'elles soient spirituelles ou même mystiques. Dans certaines situations, le fait de tergiverser en vous-même vous fera fatalement perdre de vue l'objectif et par conséquent, votre concentration optimale.

J'ai appris à lutter contre ce travers précisément en renonçant à...lutter contre ce qui *doit* être. Je m'explique, et cela n'engage que moi : plutôt que de me débattre, impuissant, face à des difficultés naturelles sur lesquelles je ne peux avoir aucune prise, je m'en remets à *Dieu* et je me dis qu'il fera de toute façon une chose juste. Michael Chang* qui, lui, est chrétien, expliquait récemment qu'il n'est jamais aussi calme et détendu que lorsqu'il cesse de vouloir contrôler son destin contre la volonté de Dieu. Quand il éprouve la *vanité* de vouloir influer sur le cours de son existence, il se sent d'immenses responsabilités, son action est alors entravée par ses émotions, par sa peur de ne pas être à la hauteur de ses engagements, et du coup, il connaît l'échec. Cet échec étant le reflet de son impuissance à contrôler son destin, il se met à douter de lui-même et devient irritable. Les membres de sa famille le deviennent à leur tour, et tout concorde pour dévier le clan de son objectif qui est pour Michael de devenir le meilleur joueur de tennis possible... afin de servir Dieu !

Chang dit que lorsqu'il se contente de donner le meilleur de lui-même en s'en remettant à la volonté de Dieu, tout lui paraît simple. Il enclenche alors un processus où la concentration totale redevient accessible. Car ses mauvaises motivations (ego) s'éliminent au profit d'une saine motivation : accepter les lois de la Nature. Et la servir.

Comme je l'ai dit, je ne crois pas en un *Dieu* mais en une force supérieure. Je crois que notre destin est écrit. Mais parfois, comme Chang, je l'oublie et je résiste. Aussitôt je ressens une tension qui me trouble et me fatigue. Heureusement, je progresse ! Il n'y a qu'à regarder par exemple les cassettes des matches que je suivais sur la chaise de capitaine en 1991 et les plus récents. Avant je dépensais beaucoup plus d'énergie, je me laissais littéralement déborder par mes émotions, par mes désirs.

Si on accepte le concept de la « non-résistance » aux lois de la Nature, si on accepte le « lâcher-prise », alors tout devient plus simple.

— Que veux-tu ?

— Gagner.

— Pourquoi ?

— Pour réaliser ce que je peux faire de mieux dans la vie, ce dont je rêve, et qui me ferait plaisir.

— T'es-tu suffisamment bien préparé pour emporter cette victoire ?

— Oui.

— Désires-tu t'engager de toutes tes forces dans cette épreuve ?

— Oui.

— Peux-tu faire plus ?

— Non.

... Alors accepte de te détendre car il arrivera ce qui doit arriver.

À certain moment, il faut accepter de *sortir* de l'action, de devenir le *spectateur* de sa propre vie. Prendre de la hauteur par rapport à ses actes, en tout cas du recul. Car rester immergé dans sa vie quotidienne et tout vouloir organiser est épuisant. Votre vision est limitée, vos œillères vous empêchent de voir les choses en grand. Avoir de sa vie une vision globale est indispensable à sa compréhension, il faut savoir se regarder froidement *être*. Cinq ou dix minutes de temps en temps suffisent, et si vous arrivez à vous extraire en quelque sorte de vos difficultés matérielles même quand un danger se fait pressant, c'est encore mieux.

Je sais que mes propos sur le principe de la Non-Résistance, tout comme les idées défendues par Chang et par pas mal de champions croyants, ne sont pas toujours très bien accueillis par une grande partie du public. Mais si je crois que chacun est libre de ses pensées, je tiens au respect que méritent les déclarations d'un champion. Par définition, un champion parle le langage d'un gagnant, le langage de ceux qui aspirent à aller *plus haut*, et qui y parviennent. Ce n'est pas la petite cuisine du doute, des mesquineries et des contradictions. Et rien que pour cela ils méritent qu'on les écoute avec attention.

L'absence de résistance à quelque chose qu'on ne

comprend pas et qui peut être interprétée comme un renoncement. Or, c'est exactement l'inverse. Dans votre cœur, il y a la volonté d'aller du point A au point B, n'est-ce pas ? Et vous savez ce qu'il faut faire pour atteindre votre but, vous savez que vous avez toutes les qualités requises, et pourtant vous ne les utilisez pas ! C'est tout simplement que vous résistez à ce que vous êtes !

Je côtoie des athlètes que la nature a dotés d'un corps magnifique, qui pourraient se mouvoir comme des chats rapides, vifs. Mais un problème émotionnel, une sorte de blocage, de *résistance* à leur destinée fait qu'ils se comportent comme si leur corps était mou et las. Ils REFUSENT de croire qu'ils ont des qualités physiques exceptionnelles. Il faudrait qu'ils bossent mentalement pour libérer leur corps de cette étreinte fictive, mais ils ne le souhaitent pas. Ils ont peur. Ils sont réticents à toute perspective de libération. Ils luttent avec acharnement contre leur propre épanouissement. Leur voie est royale, ils n'y engagent que vingt pour cent de leurs moyens. Je vous laisse imaginer ce que ces joueurs pourraient donner si, comme Chang, ils acceptaient, ne serait-ce qu'occasionnellement, de « lâcher prise ». S'ils renonçaient à résister bec et ongles à ce qui *doit* être.

24

Apprendre à respirer

> Colère, haine, peur, chagrin
> quel que soit le type d'émotion
> qui vous trouble, pensez
> toujours à expirer profondément
> d'abord, à réagir ensuite

Si les facultés de concentration constituent la base de toute réussite, il existe un autre point tout aussi important, c'est la respiration.

Vainqueur du 100 mètres à Atlanta le Canadien Donovan Bailey* savait que son succès dépendrait de la qualité de sa respiration. Sinon, pourquoi dans une lettre adressée à lui-même et dans laquelle il avait pris soin de décrire la course parfaite aurait-il souligné : « Respire, respire, surtout pas d'apnée, respire... » ?

Concentration et respiration sont les deux armes qui permettent de lutter efficacement contre l'ennemi n° 1 de l'être humain qui tient à réussir : le stress. Appelez ça comme vous voudrez : trac, anxiété, peur, trouille... Plus

vous voulez gagner et plus vous vous crispez. Sauf si...
vous pensez à respirer.

Si vous ne respirez pas, vous verrouillez tous vos muscles,
votre cerveau se fige, c'est le blocage. Votre cœur s'emballe,
vos émotions se bousculent, vos pensées fuient en ordre
dispersé, vous êtes haletant... STOP ! ! ! Arrêtez tout, commencez à vider vos poumons de toute cette « merde angois-
sante » puis inspirez doucement, doucement, doucement...
Profondément... Voilà, expirez lentement... Recommencez
jusqu'à ce que vous soyez vraiment bien.

Quand quelqu'un vous pique la place de parking que
vous attendiez depuis une heure, ou vous prend le dernier
caddie sous le nez au supermarché, ne lui foncez pas
dedans sans réflechir, videz vos poumons ! Soufflez puis
inspirez profondément, soufflez encore. Promettez-moi
d'essayer, vous verrez que votre colère disparaîtra au fur
et à mesure que vous expulserez l'air pollué.

Cet exercice vous permettra de prendre un minimum
de recul et d'avoir une réponse exacte en fonction de
l'agression. Cela pourra même vous dispenser de réagir,
ce qui, dans certains cas, est la meilleure des attitudes.
Pourquoi quelqu'un de stressé prend-il une cigarette ?
Pour la nicotine qu'elle contient ? Pas seulement. Pour le
geste mécanique qui consiste à s'emparer du paquet, porter la cigarette à sa bouche, l'allumer ? Je ne le pense pas
non plus. Je crois qu'on prend une cigarette parce qu'elle
nous donne l'occasion de respirer un bon coup et d'expul-
ser le gaz carbonique tout aussi exagérément. Or si vous
faites semblant de fumer une clope, en mimant le fait de
tirer une bouffée, vous constaterez un soulagement immé-
diat. « Fumer me fait du bien ! » Quand j'entends ça, je
rigole doucement ! Ce sont les quinze ou seize mouvements respiratoires effectués qui font du bien, certainement pas le tabac ! Pourtant il vaut encore mieux respirer
de l'air pollué et plein de nicotine que de ne pas respirer
du tout !

S'il m'arrive encore de fumer une cigarette de temps en temps, je me considère néanmoins comme non-fumeur. J'ai arrêté au début de l'année 1995. J'avais passé la nuit à fumer, à chanter et à boire, et je me suis retrouvé sur un des terrains de foot de l'INSEP avec une bande de jeunes stagiaires en super-forme. Ils m'ont mis minable et j'ai eu tellement honte que depuis ce jour, je me suis employé à me maintenir à un degré de forme, disons, honorable. Mais si j'ai arrêté si facilement, c'est parce j'avais besoin d'être sain dans mon corps pour être bien dans ma tête, et inversement. J'étais prêt à être adulte, à me regarder bien en face, je n'en étais plus à essayer de cacher la réalité derrière des écrans de fumée.

Maîtrisant parfaitement ma respiration, je n'ignore plus comment on peut contrôler ses émotions. Et puis, disons aussi que le message que mon fils cherchait à me faire passer en écrasant systématiquement mes cigarettes dans le cendrier a fini par me toucher.

Mais j'ai beaucoup fumé pendant ma carrière. J'aurais aimé qu'on me dise ce que je n'ai su que plus tard tellement cela paraissait paradoxal : je fumais pour ne pas étouffer ! Mais on me disait seulement : « Ce n'est pas bon pour la santé », ou encore : « Quelle attitude déplorable pour l'image du sportif ! ».

Moi, je sentais que ça me faisait du bien et on m'affirmait le contraire. Alors, dans ma logique, je perdais peu à peu confiance en mes entraîneurs. Je me disais : ils ne me comprennent pas. Leur jugement est contraire à mes sensations, donc fie-toi à tes sensations, ne les écoute plus ! Je ne leur en veux pas, je regrette seulement de ne pas avoir disposé de bonnes informations au moment où j'en avais tant besoin.

D'un côté j'ai souffert d'être incompris. Je me suis senti souvent seul et un peu paumé, mais d'un autre côté, je me suis énormément étudié et j'en récolte aujourd'hui les bénéfices. Ce qui se passe sur le terrain peut se reproduire dans la vie courante. Observez les champions quand approche l'heure de vérité. Regardez comme ils respirent bien, regardez-les sautiller. Quand leur corps semble trop vouloir se tendre, ils soulèvent un peu la soupape, ils lui donnent à *bouger*. Ils sautillent à la manière des boxeurs. Ils lâchent un peu de pression. Parfois, ils ferment les yeux. Qu'est-ce qui se passe dans leur tête ? Ils visualisent ce qu'ils vont faire. Rien d'autre. Ils matérialisent leur désir. Ils pèsent sur une réalité qu'ils veulent voir tourner à leur avantage... Je suis concentré, je le veux... je suis dans l'action, je suis bien... relax, tranquille... Subitement, ma concentration se relâche, l'écho de la foule me revient, ce sourire étrange de ma femme, cette parole de mon coach ce matin... attention je ne suis plus dans l'action ! ! ! L'adversaire va servir, vite, réagir, gagner du temps, je me place sur le terrain, mais je me vois mettre la balle dans le filet... STOP ! Qu'est-ce qu'il faut faire dans ces cas-là ? Rien, surtout rien ! Juste un petit signe d'excuse à l'adversaire, se reconcentrer et n'accepter l'échange que lorsque j'aurai visualisé le point GAGNANT.

Dans la vie courante, c'est pareil. Combien de fois n'avez-vous pas fait une connerie, en commentant après coup : « Je savais que c'en était une mais je l'ai faite quand même ! » Stupidité que de se laisser mener par l'action ! *Vous* êtes le maître ! Quand vous sentez que vous allez commettre une erreur — et si vous apprenez à vous concentrer, vous serez automatiquement très vigilant — ayez le réflexe d'interrompre l'action. Ne subissez pas le cours de votre vie, comme un joueur faible subit le cours d'un match. Engagez-vous dans l'action à votre rythme et seulement quand vous avez la sensation d'être prêt à donner le meilleur de vous-mêmes. Sinon, renoncez. Et ce principe est valable pour toutes les actes de votre vie, même descendre les poubelles nécessite un certain effort de concentration.

Ce genre de « corvée » est une forme d'exercice à pratiquer avec le plus grand soin. Apprenez à vous situer, à avoir une vision claire de ce que vous faites, « ici et maintenant ». Chaque seconde de votre vie est précieuse. Ne négligez rien, ne minimisez rien, n'exagérez rien non plus. Ne parlez plus de temps « forts » ou de temps « morts ». Ne hiérarchisez pas ce que vous faites comme si certaines actions n'avaient aucun intérêt. TOUT a un intérêt.

Imaginez plutôt votre vie comme le flux d'un fleuve. Forcément ininterrompu.

Pour s'élever ...

25

La découverte du yoga

> Ouvretoi. Respire. Écoute
> Sens, Regarde touche
> On a besoin d'être pur
> pour toucher mieux,
> sentir mieux.

La concentration, la respiration, tout ce qui peut vous aider à vivre davantage en harmonie avec la nature et donc avec vous-même se travaille régulièrement. Se cultive. Tout comme la méditation.

La méditation fait partie du yoga. C'est le moment où on peut entrer « à l'intérieur de soi-même ». Toute son attention en éveil. Un quart d'heure après une séance de postures, et de relaxation, on peut entrer en méditation. Un peu plus loin, vers la fin du bouquin, je vous expliquerai en détail comment faire. Les impatients peuvent passer directement en page 203 !

Faire du yoga c'est d'abord se calmer. Imaginez une bouteille d'Orangina. Vous cessez de la secouer. Toute la pulpe du fruit retombe au fond. La surface devient lisse et transparente. Plus rien ne bouge. Les secondes s'éternisent.

Le yoga est un moyen de découvrir en soi, ou de redécouvrir, la « bonté fondamentale », le sentiment d'être en harmonie avec la réalité, sans aucune envie précise ni aucun préjugé. La pratique de la méditation amène à comprendre qu'il n'y a aucune raison de se plaindre, ni de quiconque, ni de quoi que ce soit. Je sens qu'en étant simplement dans l'instant présent — ici et maintenant —, la vie devient maniable, voire merveilleuse de limpidité.

Il est important de se tenir droit, car c'est la position naturelle du corps. Signe qu'on ne cède ni à la timidité, ni aux influences négatives. C'est l'affaissement qui n'est pas naturel.

Cette recherche d'une certaine majesté dans la posture, on doit la prolonger dans la vie quotidienne en marchant droit et en regardant les gens bien dans les yeux, prouver dans son attitude qu'on est fier d'être un humain. Pas fier dans le sens « vaniteux », mais fier dans le sens « digne ».

Quand le flux de vos pensées se présente à votre esprit, il importe de ne pas chercher à les juger, à les soupeser ni même à essayer de comprendre d'où elles viennent. Méprisables, ou généreuses, intelligentes ou stupides, ces pensées sont ce qu'elles sont, et il n'y a rien d'autre à faire que de respirer. Ce ballet entre une pensée non contrôlée et une profonde respiration vous amènera à un état de calme idéal né de la synchronisation entre votre corps et votre esprit. La méditation vous aura appris à être honnête, authentique, tolérant envers vous-même, fidèle à votre nature véritable. Ainsi, venir en aide à votre voisin ne vous paraît plus être un fardeau, mais une joie car vous aurez eu conscience des trésors de bonté qui sont en vous. Je m'efforce de méditer chaque matin avant d'entrer dans la journée. Si je ne prends pas la peine de le faire, je risque de m'énerver, comme beaucoup de gens, pour des riens. De participer à la grande ronde du stress ambiant.

Je vais me sentir un peu lourd physiquement, j'aurai moins la pêche (au moins 40 % de déperdition). Toute contrariété va prendre de l'ampleur, elle va surtout en entraîner une autre. Je vais être inutilement susceptible, irritable, je vais avoir des mauvais jugements, ou passer à côté de quelque chose d'important. Absence de recul, quoi ! Et à la fin de la journée, je serai cuit. Cuit d'avoir tenté de résister au courant, cuit d'avoir suivi un rythme qui n'était pas le mien.

Quand je fais une séance de yoga, j'aborde la journée sereinement. Rien ne m'agresse, j'accepte les choses telles qu'elles sont. La solution aux problèmes posés m'apparaît sans trop de difficulté. En général, ce bien-être dure toute la journée. Parfois, j'aurais envie de faire un peu de relaxation en fin d'après-midi pour prolonger cet état de contrôle jusqu'au coucher. Mais ça, ce n'est pas toujours possible.

Faire du yoga, c'est être à l'écoute de son corps. C'est pour cela qu'il est si important de bien se nourrir et de ne pas faire d'excès en alcool, graisses ou en excitants, parce que la perception de son propre corps est alors brouillée. Et les indications imprécises. Ceux qui ont déjà fait l'amour en ayant trop bu ou trop fumé comprendront ce que je veux dire.

L'athlète intérieur se trouve incommodé par les pollutions de toutes sortes car il a besoin de sentir l'énergie de la nature entrer en lui, il a envie de se sentir aérien, sans tension, sans douleur, relâché. « Dans l'instant ». Et c'est très important. Combien de fois vous êtes-vous dit : si je fais ça, je serai heureux, quand j'aurai fait ça, je serai satisfait, je serai content de moi quand j'aurai enfin, etc. La seule bonne résolution qui vaille c'est d'arrêter d'en prendre !

Et commencer à considérer que le bonheur, c'est d'apprécier l'instant présent, ici et maintenant, parce que vous le désirez. Et non pas demain, peut-être, si l'occasion se présente.

Le yoga vous aide à comprendre ça. C'est une forme de détermination douce mais inébranlable qui entre en vous. Pas de hargne. Pas de montée d'adrénaline. Juste des messages de votre esprit à votre corps : sois à ce que tu fais.

On m'a déjà demandé à quoi on reconnaissait un bon prof de yoga. Il n'y a que vous qui puissiez savoir si la personne qui vous guide dans cette discipline vous fait du bien ou pas. Pour une fois, vous êtes votre propre juge. Si vous vous sentez beaucoup mieux, si vous aimez la manière dont vous agissez ensuite, c'est que vous avez trouvé la bonne direction. À l'inverse, s'il n'y a pas d'amélioration, c'est que quelque chose vous bloque. Mais l'explication, il n'y a que vous qui la connaissiez. Mettre l'absence d'amélioration sur le dos d'un mauvais prof de yoga serait tourner résolument le dos à tout espoir... d'amélioration.

Une fois un peu initié, vous pouvez consacrer une heure par jour, de préférence le matin, pour prendre le temps de vous recentrer. Dans un moment de grand calme que vous aurez organisé de façon à être sûr de ne pas être dérangé, vous confirmez vos orientations. Redefinissez mentalement le tracé de votre plan de route. Indiquez l'endroit où vous pensez vous situer et visualisez le chemin à parcourir. Avec de l'expérience, on finit par faire cela d'une manière à la fois naturelle et intense, la vie paraît riche, il n'y a pas de perte de temps.

L'action devient un plaisir qu'on devance et non plus une source de stress qui donne envie de fuir.

26

Pour « entrer dans la zone »

> Un conseil : prends l'habitude d'être devant. Avoir une mentalité de champion, c'est apprendre à être devant, à choisir le plus dur.

Le but d'une préparation réussie pour un événement important de votre existence, c'est de se retrouver dans un état physique, psychologique, émotionnel où tout est en place pour le jour J. Quand cette préparation est bien faite, on dit qu'on entre « dans la zone » (« in the zone » disent les Américains). On a alors l'impression de naviguer sur pilote automatique. Vous ne vous donnez plus de recommandations, du genre « pense à lui jouer le coup droit », vous exécutez le geste parfait qui vous permet de mettre la balle *instinctivement* sur le coup droit adverse. Vous vous trouvez dans un « état unique » que les gens appellent volontiers « état de grâce ». Ce qui est une belle expression mais qui a le défaut de laisser supposer que la personne qui est dans cet état ne contrôle pas vraiment ce qui lui arrive. Or c'est justement l'inverse qui se produit. C'est parce que la personne maîtrise absolument tous les paramètres du jeu, du geste, des circonstances, qu'elle est dans cette « zone ».

On peut rester quelques instants dans la zone, parfois une heure, tout un match, toute une épreuve, cela dépend bien sûr de la qualité de votre préparation. Et votre capacité à croire en ce style de préparation. Je connais des joueurs qui l'ont utilisée durant un certain laps de temps sans avoir à s'en plaindre, et puis, pris d'une sorte de doute ou d'angoisse à l'idée de s'abandonner à quelque chose de relativement neuf, ont voulu reprendre les choses en main d'une manière plus « terre à terre ». Se l'avoueront-ils ? J'en connais qui s'en sont mordu les doigts.

Comment entrer dans la zone ? Certains y entrent par hasard. On y entre quelques instants, puis on en ressort. L'idée est de noter toutes les indications qui vous permettront d'y retourner (les cailloux du Petit Poucet). Plus on sera détendu, donc hyper-réceptif, moins on laissera de chance au hasard et plus il sera facile d'y aller. Trop de gens négligent les bonnes indications. Ils ont déjà éprouvé de bonnes sensations : corps léger, bras souple, jambes toniques mais relâchées, acuité visuelle aiguisée, réflexes rapides, ventre dénoué, aucun stress nulle part, sourire tranquille. Ils disent : « Je ne sais pas ce que j'avais, mais qu'est-ce que j'étais bien ! » Mais la démarche de tout noter sur un carnet pour retrouver cet état à volonté ne leur vient même pas à l'idée, car ils croient à un accident, un heureux concours de circonstances. Le fameux « état de grâce », le non moins célèbre « jour avec » ! Mais je me moque ! J'ai tort ! Car je résonnai moi-même ainsi avant de découvrir le yoga. Je gagnais et je perdais des matches sans trop savoir pourquoi. À la française ! Mais encore une fois ce n'est pas une fatalité. On peut lutter.

Je lisais l'autre jour dans un *VSD* une remarque de Jean-Claude Killy* : « Les Français sont géniaux ! Capables du meilleur comme du pire, mais avec cette capacité, quand ils veulent vraiment, d'y arriver. Par intelligence instantanée, par réflexe, par système D, par franchouillardise. Plus je visite de pays et plus je trouve le nôtre extraordinaire de se tenir de cette manière, alors que nous sommes certainement parmi ceux qui travaillent le moins et utilisent le moins notre intelligence, nos ressources et notre énergie. »

N'empêche. VOUS pouvez en finir avec le hasard. VOUS pouvez organiser votre succès. VOUS avez les moyens de réussir méthodiquement ce dont VOUS avez toujours rêvé.

Et pour cela, il ne faut jamais perdre de vue votre objectif. Et cet objectif, il ne faut pas hésiter à l'élever. Parler d'objectif élevé ne consiste pas à dire : « Dans dix ans je suis numéro un mondial » ou : « Dans dix ans, je monte une filiale en Asie. » Un objectif élevé c'est se dire : « Demain, je ferai dix minutes de footing en plus », ou bien : « Demain, je m'inscris au cours de chinois. » Il ne suffit évidemment pas de le dire...

Alourdir un entraînement, ou une préparation, c'est se donner les moyens de ses ambitions, c'est aussi une manière de symboliser sa détermination. N'avez-vous jamais remarqué que les joggeurs qui courent avec des sacs à dos paraissent souvent moins poussifs que ceux qui courent sans ? Ça ne vous a jamais intrigué ? C'est parce que ceux qui alourdissent volontairement leur peine sont toujours plus dur au mal que les autres. On ne peut éprouver de l'aisance dans l'action si, à un moment donné, on n'est pas allé au-delà de ses possibilités. Celui qui reste dans le champ de ces capacités, même s'il est sérieux et assidu, se limite. Il stagne, s'ennuie, s'enferme, se consume.

Mais si, de temps en temps, il va voir par-delà les montagnes, alors il ouvre son champ de vision. Il souffre mais progresse et s'en réjouit, il pressent le plaisir qu'il aura à dévaler la pente de l'autre côté, et le nouveau challenge qui se présentera au pied d'un autre versant le captive déjà. Mais pour l'instant il apprécie toutes ces nouvelles sensations, toutes ces nouvelles couleurs, odeurs, etc.

Une bonne préparation pourrait se comparer à un élastique. Au début, entre vous et votre objectif il y a une certaine distance. Dans sa forme initiale, l'élastique ne permet pas de relier ces deux extrêmes. Mais si tous les jours à l'entraînement vous tendez l'élastique un petit peu plus à chaque fois, vous finirez par l'assouplir suffisamment pour rallier symboliquement votre objectif. L'image de cet élastique a l'avantage de vous mettre en garde contre les excès : un mauvais dosage et il peut vous sauter à la figure !

Alourdir sa préparation revient à utiliser une surcharge à chaque exercice, comme un haltérophile ajouterait un poids à sa barre. L'idée ? Soulever 120 kilos à l'entraînement pour que, au moment de la compétition, 100 kilos vous paraissent faciles. Un exemple au passage : si Arnaud Boetsch n'avait pas « surchargé » son travail avant d'affronter Kulti*, ce n'est pas Kulti qui aurait eu des crampes à la fin du cinquième set mais bien Arnaud. De même, si Kulti avait... mais ça, ce n'était pas mon problème. Bref !

Il ne s'agit pas de rendre l'entraînement plus ennuyeux ou plus pénible, mais à la fois plus dur et plus drôle. Un mélange d'âpreté et de rigolade. Par exemple, si vous voulez travailler votre précision au service, je trouve plus marrant de placer aux intersections des lignes des bouteilles d'eau que des boîtes de balles vides. Quand ça fait « splasch », c'est plus rigolo, donc on en fait plus... sans même voir le temps passer.

Le temps, c'est un ennemi quand on s'ennuie, un allié quand on s'amuse. Il faut savoir utiliser le temps. Les rythmes. Vous faites du footing avec vos potes. C'est l'heure de rentrer. Tout le monde ralentit. Accélérez ! Accélérez ! Partez devant, laissez-les sur place, laissez-les à leur petit train-train habituel. Vous n'imaginez pas la force que cela vous donnera. Ce n'est pas le petit rab d'exercice qui vous fera du bien, c'est la sensation d'être généreux dans l'effort, de dépenser son énergie sans compter, d'en faire plus que les autres qui vous réjouira. Toujours plus. Au début, vous ferez un tour de temps en temps et puis un beau jour vous vous apercevrez que vous en ferez quinze de plus ! Facile !

M. Tout le monde s'arrête toujours au seuil de la dou-leur. L'athlète intérieur va au-delà du seuil de la douleur. Il a la sensation qu'il ne commence à vraiment travailler que quand il a mal. Il se différencie du commun des mor-tels. La douleur, c'est le baromètre de l'athlète, mais celui-ci n'est pas maso pour autant. Ça m'énerve toujours quand j'entends dire ça. L'athlète aime reconnaître les signes du progrès. Voilà pourquoi il apprécie et recherche une certaine forme de souffrance. C'est en cela que la douleur est « délicieuse ». L'athlète aime se retrouver dans cette zone incertaine où il mesure sa volonté. Quand je faisais des footings, j'aimais bien pousser une petite accélération en fin de parcours pour voir qui essayait de me suivre. Jamais personne. Pourquoi ? Parce que j'étais bon à la course, mais surtout parce que pour moi, cela avait un sens. Pas pour eux. Je voulais leur faire comprendre que j'étais le meilleur. Eux n'en éprouvaient pas le besoin. Si l'un d'entre eux avait voulu me suivre, il aurait pu. Mais chaque fois, tous lâchaient. Comme s'ils ne voyaient pas l'intérêt de relever un défi aussi puéril. Et moi à chaque fois je me sentais un peu plus fort. Chaque fois, j'augmentais ma confiance. Ce n'était rien que quelques tours de piste en plus, mais insensiblement un écart se creusait entre nous, dont je me sentais l'heu-reux bénéficiaire. Et quand on se retrouvait l'un en face de l'autre sur un court, il y avait toujours un moment où je sentais dans leur regard l'expression de ce doute qui s'était développé en eux. Presque à leur insu. J'en ai presque toujours tiré avantage...

Un conseil : prenez l'habitude d'être devant ! Avoir une mentalité de champion, c'est apprendre à être devant, à choisir le plus dur.

C'est une question de discipline librement consentie, et d'état d'esprit. Pour en finir avec l'image du footing, imaginez une poignée d'hommes ou de femmes, courant à vive allure dans un sous-bois. Tout à coup, le chemin se sépare en deux. À droite il monte, à gauche il descend. L'athlète ordinaire prendra toujours le plus facile. Le champion dans l'âme prendra forcément le plus abrupt. C'est presque comme un instinct. Et quand on n'a pas ce type de réflexe dans sa culture, ou dans ses gènes, on peut le travailler. Il suffit de penser à prendre systématiquement le chemin qui monte. C'est simple.

Le principe de « surcharge » peut aussi correspondre à son contraire, c'est-à-dire à se priver de quelque chose pour rendre l'entraînement plus difficile. Se priver d'un sens par exemple. Jouer avec des boules Quiès une demi-heure permet de sentir son regard s'affûter, son toucher de balle se préciser. Vous pouvez aussi vous entraîner avec une raquette en bois, ou mettre du rock à fond. Le tout est de trouver la mise en scène qui fera passer votre match pour une aimable plaisanterie. Stefan Edberg, prince de Wimbledon, détestait jouer à Flushing Meadow. Et après chaque défaite, il indiquait que l'environnement ne lui était pas favorable. Et puis un jour... son coach Tony Pickard* raconte : « Stefan avait déjà disputé deux demi-finales mais il avait un très mauvais feeling avec Flushing. On ne peut pas dire que j'étais très éloigné de sa vision des choses mais pour moi, ce n'était pas une excuse. Alors en 1991, nous sommes arrivés trois jours avant le début du tournoi. Juste pour laisser l'endroit

«Mad**i**
mo**r**

ba»
héros.

Pépère &
Papa

Tara

Ils sont beaux, les anciens !

Dizzy
mon père spirituel

Romain & nous

Mathieu

la princesse
aux yeux bleus

Premiers

pas à Sydney

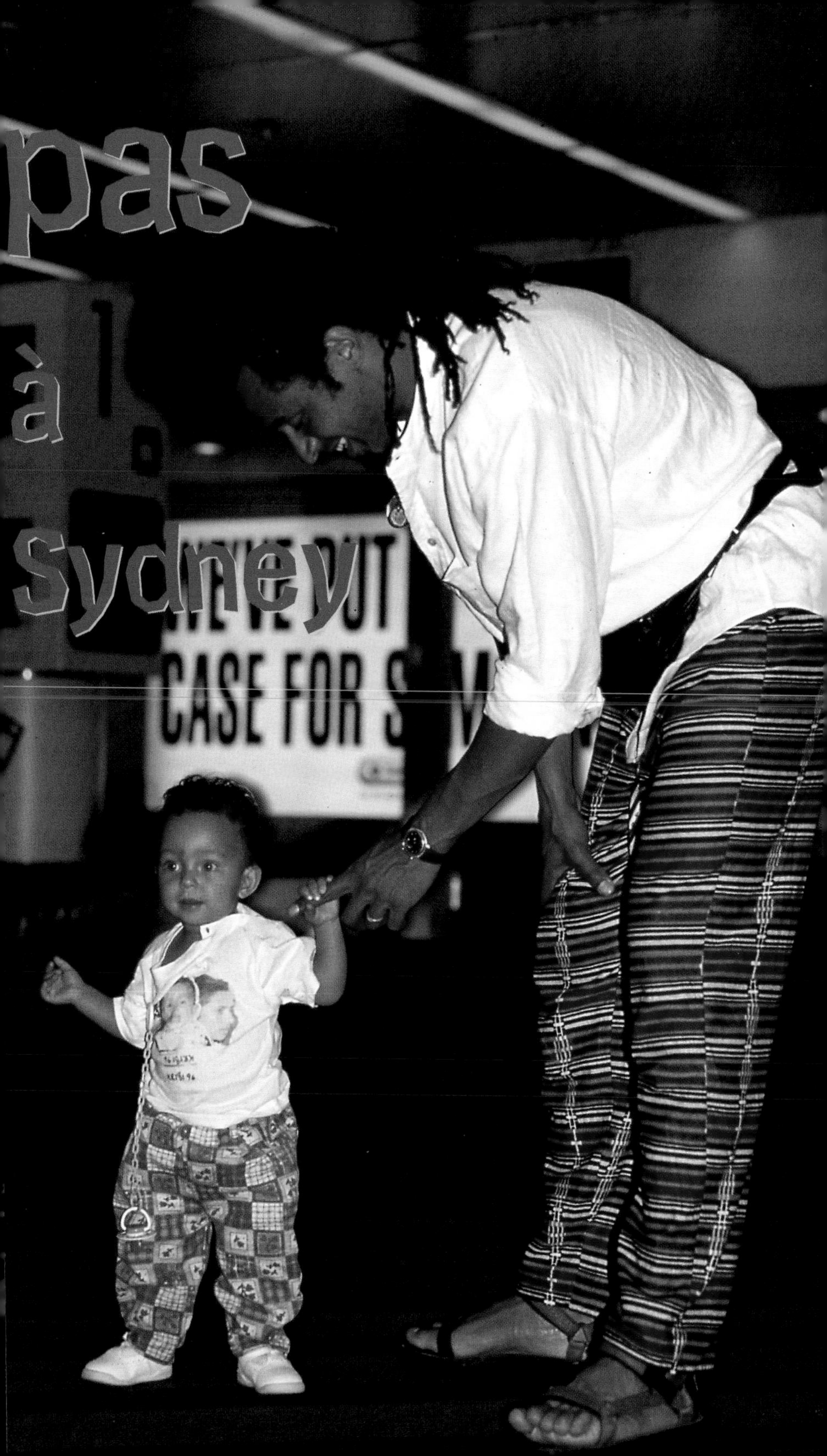

Caïpirinha

Foutchboll »
& samba

...ACELERAMOS JUNTOS
TETRA E NOSSO!

Les

frites
en tournée mondiale

L'autre **Charlelie** & **le vrai Guy**

Pour la
il faudra pédaler
plus vite, plus fort

pénétrer sa chair jusqu'à l'os. S'obliger à humer le stade, le respirer, se laisser imprégner des odeurs écœurantes de hot-dogs et de hamburgers. Et ça a marché. Il a très bien joué tout le tournoi, et quand la finale contre Jim Courier* est arrivée, Stefan était tellement *imprégné* de l'atmosphère que je savais qu'il ferait le match parfait. Le matin de cette finale, il était dans sa plénitude. Il a gagné en trois sets sans commettre une seule erreur. »

Quand on s'est bien préparé, la peur du moment de vérité ne peut plus provenir que de l'impondérable. Si on a au préalable multiplié les handicaps, les sources de perturbations, si on a su se préparer aux pires scénarios, on entrera sur le terrain beaucoup plus confiant que si on s'est laissé enfermer dans des schémas classiques. Le joueur de tennis le plus fort mentalement est celui qui sera capable de produire son meilleur tennis dans une ambiance digne de Maracana. L'athlète intérieur n'ignore pas le bien-fondé des entraînements à *surcharges*. Pour se préparer aux Jeux de Séoul, Pierre Durand* n'avait-il pas pris soin d'emmener son cheval faire un petit tour d'honneur dans le stade des Girondins de Bordeaux un soir de match afin qu'il s'habitue à une foule nombreuse et bruyante. En fin de compte, à Séoul, en raison d'une programmation très matinale le cheval s'est produit devant des tribunes vides, mais qu'importe, cavalier et cheval avaient en eux la sérénité propre à ceux que rien ne peut déstabiliser.

La confiance en soi

> Personnellement, je ne dis jamais "concentre toi" mais "respire" ni "accroche toi" mais "soigne ton attitude". Quand les termes abstraits vous laissent froids, optez pour du concret.

Se relâcher est vital. On ne peut rien faire de bon quand on est crispé, tendu. On ne peut ni frapper dans une balle, ni se faire comprendre, ni se faire apprécier. Mais se relâcher, c'est se faire confiance. Et se faire confiance n'est pas facile. C'est fou comme on peut être méfiant vis-à-vis de soi-même, comme si ça nous aidait à anticiper l'échec éventuel. Se faire confiance ne signifie pas qu'on va réussir. Ça veut dire que si on ne réussit pas, on n'aura rien à regretter puisqu'on aura tout essayé. Nuance ! Une fois de plus on aboutit à l'importance de s'autoriser à perdre.

Mais se faire confiance est aussi difficile que de se laisser tomber tout droit en arrière dans l'eau d'une piscine. Vous ne risquez rien et pourtant, vous éprouvez une sorte d'appréhension. Se relâcher, ce n'est pas ne rien faire. Cela revient à choisir une solution, c'est décider d'une direction. C'est passer de la tension à la décontraction par le biais de la relaxation. Mais pour réussir ce transfert, il faut être tout à fait sûr de soi, il faut croire que ce qu'on fait est ce qu'on pouvait faire de mieux. Si toutefois vous n'y arrivez pas, si vous vous bloquez comme un joueur de tennis peut se bloquer chaque fois qu'il frappe dans une balle tant il a peur de la rater, au lieu de vous répéter inutilement « Relâche-toi ! Relâche-toi ! », et de vous crisper encore plus, oubliez l'effet souhaité et ne pensez qu'au moyen de l'obtenir : « Soufflez, soufflez. » Vous verrez, c'est « magique », vous vous relâcherez. Il est naturellement *impossible* de rester crispé quand on respire profondément.

Il y a des signes qui ne trompent pas. Le corps a son langage et son langage est cohérent. Je ne suis pas porté sur les choses de la guerre — bien au contraire — et quand je parle de guerrier je n'évoque que la bravoure et la force dans le combat qu'il mène pour donner le meilleur de lui-même. Mais vous imaginez une armée qui partirait en guerre en traînant son fusil par terre ? Pourquoi croyez-vous que les bataillons marchent au pas ? Pour faire joli au défilé ? C'est pour créer dans le *corps* d'armée un rythme, une cadence, un entrain, une énergie qui décuplent ses forces. Le même nombre de soldats, laissés sans commandement, sans uniformes, sans fierté, perdrait la bataille. Il faut que, lorsque vous entreprenez quelque chose, vos qualités intérieures, vos sensations, vos forces s'organisent en vous comme une armée pacifique et insufflent à votre corps l'audace et l'engagement du soldat victorieux.

On peut très bien utiliser les techniques du yoga pour se mettre en condition une demi-heure avant l'action. Vous vous installez confortablement, vous respirez et laissez votre pensée vous entraîner vers la représentation d'un endroit que vous aimez. On a tous au fond du cœur le souvenir d'un lieu, d'une atmosphère dans laquelle on se sent comme dans un cocon. C'est là qu'on se redéfinit, qu'on se reprogramme, ou se remotive. Marie-Claire Restoux* en avait parlé juste avant de remporter sa médaille d'or à Atlanta. À chaque échéance importante, elle retourne au Roc-Branlant, en Charentes : « J'essaie d'y venir le plus possible, parce que j'y suis au calme. Ici, les gens prennent le temps de vivre. Ils sont vrais, authentiques. Ici, je peux faire des coupures, tout remettre à plat, et repartir de zéro, regonflée », avait-elle confié. Le yoga permet de visualiser ce genre d'endroit propice à la détente. Comme vous êtes calme et détendu, c'est comme si grâce à cette évocation, vous vous « badigeonniez » de bien-être. C'est le moment de redéfinir son action. La mettre en perspective. Vous agirez tout en souplesse et en « non-résistance » aux lois de la nature, en toute sécurité, rassuré.

Vous sentez les choses intensément. Vos sens se développent comme le toucher d'un aveugle. Vous comprenez que l'aveugle ne peut vous offrir ses sensations. Pour les éprouver il vous faut faire vous-même son parcours. La visualisation offre alors toutes les perspectives d'un travail en profondeur, bien supérieur en efficacité aux heures d'entraînement mécaniques.

La visualisation a l'immense avantage de vous permettre de travailler votre technique dans votre lit.

Dans un état de relaxation, vous retrouvez le fameux endroit de vos rêves, et par le rythme de votre respiration, vous entrez en possession de votre corps. Commencez à disséquer votre jeu (plus généralement votre technique pour accomplir une activité). Écoutez votre voix intérieure (tous ceux qui ont déjà joué au tennis savent de quoi je parle) : cette espèce d'onde vocale qui vous dirige vers la balle et détermine vos choix : vas-y, hop, attention, tu es trop près, lâche tes coups, plie-toi, bon sang !, mais plie les genoux, bordel ! Recouvre la balle, ouais, voilà, c'est bon... Vous entamez une espèce de révision technique.

Regardez-vous en action (je parle tennis, mais l'exercice est valable partout ailleurs, sur un terrain de sport, en famille, au boulot). Il existe dix manières de frapper un coup droit, mais si vous faites un super-effort de concentration vous arriverez à la visualisation de *votre* geste parfait. Ce geste s'inscrit dans votre cerveau comme une image d'ordinateur, et vous pouvez le modifier en utilisant vos perceptions comme une « souris ». Ceux qui n'ont jamais entendu parler de cette technique doivent se demander si je suis fou, mais je vous assure que les champions sont de plus en plus nombreux à avoir recours à cette méthode. En nier l'efficacité me paraîtrait bien rétrograde.

Une fois le geste intégré, vous pouvez passer au revers, à la volée, au service... Ensuite, vous vous *regarderez* enchaîner les coups, vous vous *verrez* en mouvement. Si, dans cette observation quasi clinique de votre jeu, vous vous voyez lent, si vous sentez que « ça bloque » au niveau du déplacement, pas la peine de passer par la suite des heures sur un court. Adaptez plutôt votre entraînement à vos lacunes, ça vous fera gagner un temps précieux. Travaillez en footings, faites des sprints, revisualisez le tout jusqu'à ce que la mécanique de vos enchaînements vous paraisse bien huilée. Puis passez à autre chose.

Le but de la visualisation est simple, il s'agit d'*entrer* dans le geste. J'ai un souvenir très précis de Sampras à

Roland-Garros, lors de ses marathons en 1996. Il était dans un tel état d'abandon qu'il était entré peu à peu *dans* le jeu. Il servait d'une manière fantastiquement relâchée, il était sur toutes les balles, il ÉTAIT LE SERVICE, il était le mouvement. Il était le tennis. Et c'était extraordinaire à voir parce qu'il est rare de pouvoir aller aussi loin dans le relâchement de son corps. Mais c'était, en l'occurrence, une question de survie car il arrivait au bout de ses limites physiques. J'ai pensé qu'il nous montrait le tennis qu'il est capable de visualiser.

La visualisation est utile quand on est en forme, puisqu'en un quart d'heure on peut engranger des données à mettre en pratique deux heures durant à l'entraînement. Comment procéder ? Si vous avez bien visualisé votre geste, vous retournez sur le court et vous frappez des balles. Si vous pensez l'avoir intégré, cinq minutes vous suffiront pour vérifier *in vivo* que tout est OK. Si ce n'est pas le cas, pas la peine de s'énerver, il faudra recommencer une séance jusqu'à ce que la vérification soit bonne. Mais une fois le geste accompli, pas la peine de le refaire cinquante mille fois. Il est là. Vous l'avez acquis. Il ne s'envolera plus. Même dans une situation extrême.

Lorsqu'on est blessé, on peut grâce à la visualisation continuer à travailler sans danger.

Enfin, la visualisation peut vous aider sur le plan mental puisqu'il vous est possible de vous projeter en toute sérénité dans le feu d'une action. Vous autoriser une répétition, en quelque sorte.

Curieusement c'est ainsi que j'ai approché cette technique. Complètement par hasard. Par instinct. Alors que je n'y étais pas du tout préparé ni prédisposé. Flash back... On est en 1983. À la veille de disputer ma première (et unique) finale d'un tournoi du Grand Chelem...

J'ai la hargne. Une envie incroyable de tout bouffer. Je ne sais pas d'où ça vient, mais je sens qu'il le faut. Il le faut ! C'est un minimum. Je pressens en même temps que ce sera aussi mon maxi. Une sorte de zénith. Je suis comme un animal. Je suis terrifiant. Demain, je jouerai ma vie en un peu plus d'une heure. Je me revois tout jeune dans le stade vide. Je me refais mes films mentalement : les gradins vides et les clameurs dans la tête. Mes entraînements, les « marches ». Vous savez, les marches que vous montez avec vos boissons ou des glaces, tranquillement, pour rejoindre votre place. Nous, on les montait comme des jobards en levant les genoux jusqu'au menton. Des générations de garçons et de filles ont fait cet exercice épuisant. Et moi... je suis en finale. Le match aura lieu demain, à 14 h 30, contre Wilander*. Ce sera mon heure de vérité. L'heure où je serai jugé pour ce que je vaux.

Il est 23 heures et je me couche dans mon lit, à Nainville. Mon père et moi avons viré tout le monde. On tenait à rester seuls. On bouffe en tête-à-tête. On parle peu. C'est l'heure d'aller se coucher.

— Salut, Yan, bonne nuit.

— Bonne nuit, p'pa.

J'étais sûr que je ne dormirais pas, mais finalement je m'endors comme un bébé. Au moment de sombrer dans mon vrai sommeil, j'entre dans un film en Technicolor. Voilà que je rêve le match ! Je perds le premier set, mais je gagne les deux suivants. Malheureusement, Wilander égalise à deux sets partout et nous voilà à quatre partout au cinquième, sur mon service. Wilander me break. Balle de match. Il sert, je retourne, il fait je ne sais pas quoi, je fais un passing de coup droit trop long ! J'entends l'arbitre : jeu, set et match, Wilander. Je suis vert... Effondré, KO. Le match a duré huit plombes et je n'en peux plus. J'ai mal. Je meurs, je meurs... Et puis d'un seul coup j'entends mon père.

— Yan, c'est l'heure, tu as bien dormi ?

— Oui...

— Il est 9 heures...

— Lundi ?

— Quoi ?

On est dimanche et j'ai toutes mes chances. Surtout, je n'ai pas perdu ! Je connais le goût de l'échec et je sais qu'en aucun cas je ne pourrais le supporter. J'ai VU le match. J'ai VU comment il m'avait battu. J'ai VU qu'il ne fallait pas qu'il y ait un cinquième set... Je me sens libéré comme un candidat au bac qui connaîtrait le sujet à l'avance. J'ignore que je viens de m'offrir, en douceur, ma première séance de visualisation !

Dans un état d'extrême concentration, on peut à l'entraînement palper les conditions de match. C'est même indispensable. Par exemple, quand on rate une balle facile à l'entraînement par excès de confiance, ou par flemme, ou pour toute autre raison, il ne faut pas faire comme si de rien n'était. Non, car on n'a pas le droit de s'autoriser ce genre de faiblesse. Il faut se répéter cinquante fois : je ne raterai plus une balle facile, je ne raterai plus une balle facile, etc. J'ai bien dit « 50 », je n'ai pas dit « 49 ». On ne prend jamais assez les balles faciles au sérieux. On a tort ! De même qu'on ne s'affole jamais assez quand on commet des erreurs de débutant malgré plusieurs années d'expérience. Je suis sûr qu'à un moment on paie pour ce genre de négligence. Les balles difficiles, ils sont des dizaines à savoir les jouer, parce qu'ils sont des dizaines à s'y être préparés, mais les balles faciles ! Je vous invite à revoir un de ces jours la finale Agassi-Courier en 1991 à Roland-Garros. Le cinquième set, surtout, les deux joueurs sont à égalité, 4 partout, 15/30 sur le service d'Agassi. Les deux sont morts de fatigue, ils jouent depuis des heures. Courier fait une balle mi-haute, mi-molle, Agassi est à mi-court, il n'a qu'à la tuer, mais il y a un peu de vent, il n'est pas « dans l'instant », alors il recule, la laisse tomber, décide de jouer un smash après rebond... bâche directe ! 15/40, jeu ! Dans sa tête Agassi a déjà perdu. Courier sait qu'il est vainqueur. Ça fait dix ans qu'ils se tirent la bourre tous les deux, dix ans de rapports de force, de frustration, d'humiliation. C'est la finale de Roland-Garros. C'était un lob minable... une balle tellement facile...

Quand, à l'entraînement, vous n'arrivez pas à être *présent*, dans l'*instant*, faites plutôt un break. Car non seulement vous ne tirerez aucun profit de votre entraînement, mais en plus vous apprendrez à compenser vos faiblesses, à trouver des solutions de raccroc, au lieu d'apprendre à vous montrer intransigeant avec vous-même. Pas mal d'athlètes abordent l'entraînement en termes quantitatifs, et non qualitatifs. En mettant l'accent sur la sueur versée plutôt que sur la réflexion. Parfois, une promenade en forêt, relâché, concentré sur son objectif est bien plus salutaire que trois heures de gammes. C'est vous qui savez faire la différence. Personne n'a le droit de vous juger.

Mais en ce qui concerne la discipline intérieure, ne vous faites aucun cadeau, car l'addition, c'est toujours vous qui la paierez.

28

La forme, avant tout

> Tout déséquilibre entraîne forcement des blessures.

Juste deux ou trois précisions pratiques, et un peu spécifiques, pour compléter la notion de forme. Tout d'abord pour les sportifs dont la discipline entraîne un déséquilibre musculaire, j'insiste sur la nécessité du travail en compensation. Tout déséquilibre entraîne forcément des blessures (et vous pouvez me croire : si j'avais découvert le yoga plus tôt, je suis sûr que je ne me serais pas blessé autant !). Il existe des salles, des profs, des exercices tout à fait abordables qui vous permettent de travailler efficacement et simultanément force et souplesse. Le joueur de tennis développe naturellement des abdominaux, des jambes, une épaule, un bras, un avant-bras. À lui de travailler l'autre bras et le dos. On n'est très bien que dans un corps où le haut et le bas, la droite et la gauche, le devant et le derrière sont harmonieusement équilibrés.

En ce qui concerne la forme cardio-vasculaire, sachez que le meilleur moyen de faire travailler le palpitant, c'est le footing longue durée, à votre rythme (pensez à vous faire régulièrement contrôler par un médecin). Quand vous jouez quatre heures au tennis, vous pouvez ramener à quarante-cinq minutes le temps de dépense physique effectif. Donc, faire un footing de quarante-cinq minutes, à votre allure de travail, bien dans votre *zone*, permet d'entraîner votre cœur à l'effort qu'il aura à produire au quatrième set. Preuve qu'on n'est pas toujours obligé de s'entraîner quatre heures par jour pour se mettre en condition. Pour moi, une journée idéale comporte nécessairement un footing pour l'entraînement cardio-vasculaire. Un gars qui ferait quarante-cinq minutes de footing (en tête), des petites séries de saut de kangourou, quelques sprints, tient facile cinq sets contre n'importe quel *monstre*. J'ajouterais une séance de muscul, une séance de méditation pour la connexion entre le corps et l'esprit, pour le développement de la concentration, pour le *recentrage* de ses motivations et la mise en œuvre de son travail. Plus une séance de visualisation pour mécaniser la technique rapidement et à coup sûr. Voilà, vous voyez que ça laisse encore du temps pour s'occuper des siens, lire des livres ou se promener dans la campagne, faire de la musique, des confitures, du macramé, etc.

Enfin, je dirai un mot sur le matériel. Je ne prétends pas qu'il faut emporter partout un sac où tout figure en triple exemplaire, hyper-bien repassé, avec trousse à pharmacie, trousse de couture, trousse à outils, casquette à visière rétractable, triple suspensoir, quatre paires de lacets, douze paires de chaussettes, un soulève-cordes, etc. MAIS je dois dire que lorsque je suis parti faire mon tournoi de *vieux* avec n'importe quoi dans mon sac, j'ai compris que finalement, le matériel, ce n'était pas si négligeable. À cause de mes tenues merdiques je me suis senti mal sur le court. Mon matos ne favorisait ni le beau jeu ni même la rigolade. Je ne dis pas d'en faire des tonnes au niveau du look, mais tout comme se tenir droit augmente votre confiance, le fait de s'habiller au moins normalement, vous rendra forcément plus sûr de vous.

29

Ce que donner veut dire

> Le vrai bonheur est dans la
> nature, a la portee de toos
> Mais personne n'a interet à
> le faire savoir.

Accéder à la méditation est comparable à un parcours du combattant. Rien dans la vie moderne (ni dans la vie de famille) ne vous y invite. Dès que le réveil retentit, vous avez un truc urgent à faire, il y a toujours quelqu'un qui a besoin de vous, une sonnerie de téléphone, une tentation qui vous sourit. Vous résistez une fois, deux fois, et puis la troisième...

Les marchands qui vivent de la société de consommation ont créé un rythme quotidien cadencé de sorte que l'individu n'a plus la force de s'en extraire s'il n'est pas hyper-vigilant. Privé de son jugement, il ne rêve que de nouveautés et consomme à s'en écœurer. Sortir de ce cortège de besoins futiles est difficile mais y arriver est une véritable source de délectation. Du jour où j'ai décidé que ma voiture était parfaite et qu'il n'était pas question d'en changer, j'ai fait un premier pas vers le bonheur.

Quand on reçoit les mômes dans les maisons tendresses des Enfants de la Terre, on n'a pas trente-six mille jeux à proposer, mais avant tout une atmosphère, de la douceur, du temps à donner, du soin. Ils passent des journées merveilleuses : ils font des gâteaux, regardent le feu de bois, marchent dans la forêt, dessinent... ils s'écoutent.

Étonnant, n'est-ce pas, de promouvoir cette vie simple quand on a fait la bringue comme moi ? Mais, même si je répète que mon bonheur d'aujourd'hui s'est enrichi de mon passé tumultueux, même si je n'en veux à personne, je regrette de ne pas avoir découvert certaines choses dont je parle dans ce livre au cours de mon adolescence. Certains trouveront déplacé que je prône une certaine rigueur matérielle alors que j'ai gagné beaucoup d'argent, que j'en gagnerai encore sans doute, que ma femme en gagne aussi, que j'ai la chance d'avoir une belle maison, de pouvoir élever bien mes enfants, voyager, sonner chez Nelson Mandela, jouer au foot avec Platini, et surtout pouvoir être écouté quand j'ai quelque chose à dire.

D'abord, détail important, je ne suis pas pollué par cet argent, ni par le confort ou les avantages de ma notoriété. Toutes ces facilités n'enlèvent rien à mon besoin de donner et d'avoir avec les gens, par l'intermédiaire du don, un rapport comparable à celui qu'on peut avoir avec ses propres enfants. Je n'attends en échange que le plaisir de les voir s'éclater. Dans certains cas, de souffrir moins. Le jour où j'arriverai à « donner » à l'ennemi, j'aurai tout compris !

C'est plus subtil. C'est ce vers quoi je tends. Pas facile. C'est dans ces moments-là que j'ai un besoin vital de faire du yoga. L'enjeu n'est plus tellement de ne pas s'engueuler avec sa famille — on ne s'engueule plus depuis longtemps —, c'est d'aspirer à des sentiments de plus en plus élevés. Plus on avance dans la technique, et plus on entrevoit cette possibilité. Mais en même temps, on a des freins. J'éprouve encore des sentiments de haine, de violence, l'ennemi ayant plusieurs visages, tour à tour idiot, voleur, tricheur, escroc. Et ça m'embête de perdre le contrôle.

Par rapport à l'argent, bien sûr, il y a des moments où je me dis que je pourrais en filer beaucoup plus. Mais je ne veux pas me forcer. Je ne peux pas donner demain un truc qui m'est cher et puis me sentir mal ensuite parce que je n'étais pas préparé à cette générosité. D'un autre côté, je donne de plus en plus, et de plus en plus facilement. Je vais à mon rythme. Et qui sait ? Qui connaît mes limites ? Je n'ai pas un budget « bonnes œuvres » à déduire de mes impôts.

J'ai toujours eu un rapport plutôt sain avec le fric, finalement. Si vous m'aviez vu à Calcutta en 1978 avec ma valise de billets, le prix du vainqueur : huit mille dollars en coupure de vingt dollars !

Avec Pascal Portes*, déjà, la semaine précédente à Manille, où j'avais gagné mon premier tournoi ATP, on avait étalé tous les billets sur le lit, on était pris d'une excitation inimaginable. Je lui disais : « Jette-toi dedans, on est riches ! » On sautait dans le lit, on riait, on était fous ! Et puis, à Calcutta, l'horreur : toute la misère du monde concentrée en un seul lieu.

Nous sommes logés dans un hôtel de luxe, à deux pas de la Cité de la joie. Dès mon arrivée dans le hall, je sens sur ma main le contact d'une autre main, squelettique. Celle d'un homme au regard enfiévré et doux.

— You're my friend (Tu es mon ami), me dit-il. Come, come...

Mais j'ai un peu peur. J'ai vu les deux cents mendiants autour du parking, je n'ai pas très envie de sortir. Seulement, au bout d'une heure au bord de la piscine, j'ai le cerveau qui me démange. Faut que je bouge.

L'homme m'attendait. Il savait que je viendrais. Il m'a fait découvrir Calcutta dans sa réalité. Son copain me trimbalait dans sa *rickshaw*, ces espèces de carrioles attelées carrément aux hommes. Il m'a fait fumer des trucs incroyables et on est passés de l'autre côté de la carte postale, dans sa famille, au milieu des bidonvilles. On partageait le plat de riz. J'étais bien au milieu de ces gens qui n'avaient presque rien à donner et qui pourtant me comblaient. J'ai gagné le tournoi, porté par cette ferveur, cette quête de sensations fortes, qui me poussait de la salle de bains luxueuse et parfumée d'un hôtel cinq étoiles à la fange nauséabonde de la Cité de la joie, avec une même aisance. J'avais face à moi comme dans une parabole, le *bon* et le *mauvais* côté de la vie, indissociables. Grâce à cet inconnu, j'avais été en phase avec la réalité, ni plus ni moins, et cela m'avait rendu tellement heureux que j'avais gagné le tournoi. En partant, je lui ai laissé un cadeau qu'il a dû trouver royal. Qui était pourtant si peu, par rapport à ce qu'il m'avait offert.

Autant le fait de donner ne me fait jamais l'effet d'un sacrifice — j'allais dire : *au contraire* — autant il y a des moments où je voudrais faire plus. D'ailleurs, dès que j'ai un peu d'argent dans la poche, il est tout de suite sorti ! Mais je ne vous apprendrai rien en vous rappelant que l'argent n'est pas non plus ce qu'il y a de plus important. À partir du moment où on a un toit, de la chaleur, à manger, on peut commencer à organiser son bonheur sans être fortuné. Si tous les gens qui ont un toit, de la chaleur et à manger se sentaient bien, il n'y aurait plus d'exclus dans les rues parce qu'ils leur ouvriraient leur porte, il y aurait PARTOUT dans le monde une vraie solidarité, quartier par quartier, comme on en trouve dans les communautés où les gens sont bien dans leurs pompes.

Mais le fond du problème actuellement, c'est qu'une majorité de « nantis » est tellement mal dans sa peau

qu'elle ne saisit pas ce que donner comprend comme promesses de bonheur pour soi-même.

Évidemment, je n'aurais pas l'indécence de demander
à un SDF de faire du yoga et de jeûner pendant huit jours
pour réapprendre le goût des aliments et le plaisir de les
savourer comme je le fais moi-même (voir les détails
techniques plus loin). Mais je serais intraitable avec celui
qui a tout ce qu'il faut et qui se nourrit n'importe
comment, qui fait n'importe quoi de sa santé et de sa vie.
Parce que grâce au yoga, et à travers le partage, il pourrait
trouver l'occasion de se sentir un peu mieux et d'aider le
monde qui l'entoure.

Le partage est une source de jouvence. Le pratiquer,
c'est organiser Noël tous les jours ! Même si notre éducation ou notre instinct de propriété ne nous facilitent pas
la tâche, pour moi, partager, c'est survivre.

À ceux qui s'ennuient dans leur vie, à ceux qui n'ont
jamais pris le temps de respirer, à ceux qui ont peur de
leur véritable nature, je rappelle que l'aventure peut
commencer, ici et maintenant, par une profonde... inspiration.

Un morceau de papier, un crayon, un rêve, quelques
mots griffonnés, allez ! allez...

Je m'aperçois que ce livre commence à toucher à sa
fin sans que j'ai eue l'occasion de vous parler d'une des
rencontres les plus importantes de ma vie : Nelson
Mandela*. C'était fin 1996.

Mandela. Pour moi, c'est comme si j'avais rencontré
Gandhi.

Mandela. Il est dans ce monde celui qui m'inspire le
plus.

Mandela. Il représente pour l'adulte que je suis devenu,
ce qu'Arthur Ashe fut pour moi lorsque j'étais un enfant.
Une inépuisable source d'inspiration et de motivation.

Mandela. Il est le symbole de la dimension humaine.
De la grandeur d'âme. Il est resté vingt-sept ans de sa vie

en prison et il n'y a pas en lui la moindre trace de ran-
cœur, de regret ou d'amertume.

Je venais de passer une semaine avec un McEnroe
capable de râler pour des histoires de retard dans le room-
service quand j'ai sonné chez Nelson Mandela. Il nous a
ouvert lui-même sa porte. J'ai eu un flash émotionnel terrible. En cet instant de grâce, c'est comme si j'avais vu
Dieu. Il a souri. Un sourire pour de vrai. Il a souri ainsi
à Heather, à mon père, à moi-même. On avait l'impression qu'il souriait à la vie, et que c'était la vie qui nous
souriait. On en avait les larmes aux yeux.

Cette aura qui se dégage de lui dépasse de loin son
parcours politique. Mandela a survécu au Mal, il est *illu-
miné,* si humblement humain. En nous raccompagnant à
la porte, il nous a remerciés d'être venu le voir...

La première chose que j'ai faite en arrivant chez moi a
été d'ouvrir la maison aux enfants de mon village pour
qu'ils puissent venir jouer, profiter de mon court de tennis. J'ai l'espoir de transmettre à un autre la flamme que
cet homme immense m'a donnée ce matin-là, et ainsi de
suite, toujours, de main en main, sans briser la chaîne...
Jamais. J'avais éprouvé une fois ce débordement émotionnel et quasi mystique en rencontrant le pape Jean
Paul II au Vatican, il y a quelques années. Il avait une
voix incroyablement vibrante, une voix d'outre-tombe
presque. Nous étions un petit groupe de joueurs et il ne
nous avait pas accordé plus de trente secondes chacun
mais ces secondes furent d'une intensité phénoménale.
S'adressant à chacun dans notre langue maternelle, que
nous soyons français, allemands, indiens ou espagnols, il
nous effleura la main et nous regarda avec une espèce de
sévérité pleine de bonté. Son message fut clair : nous
devions nous souvenir de notre responsabilité en tant que
modèles, la seule manière d'assumer notre rôle était d'aller au bout de nous-mêmes avec la plus grande abnéga-

tion. Il nous rappela la chance que nous avions d'être libres, de pouvoir marcher, courir et sauter...

Mais ce qui me frappa à l'époque fut l'impression d'être unique, et en même temps d'appartenir à un monde, le monde des joueurs professionnels, et que ce monde appartenait au Monde avec un grand M. Donc que je participais à la marche de ce Monde.

Le message n'était pas d'une évidence biblique, mais au moins m'avait-il permis d'entrevoir une certaine cohérence. Je me sentais soudain moins « décalé ». Son discours, s'il ne balaya pas mes contradictions, eut au moins l'avantage de souligner à mes yeux l'indispensable lien que j'ai toujours cherché à nouer avec les autres. Et que je cherche toujours à nouer, d'ailleurs. Je sais qu'il y a peut-être un paradoxe pour ceux qui ont suivi ma carrière entre le Noah qui « crachait dans la soupe » et ce Noah témoignant de son respect à Stefan Edberg à Malmö ou aux Australiens lors du dîner officiel qui suivit notre défaite en Coupe-Davis en février 1997.

C'est qu'entre-temps, j'ai appris à ne plus considérer les adversaires comme des ennemis, mais comme des partenaires de vie.

Quand le jeu se termine, je n'ai qu'une envie, c'est d'aller vers mes adversaires, leur parler de ma joie de les avoir battus, ou encore de mon admiration s'ils se sont montrés très bons.

Quand j'ai fait le speech des capitaines à Sydney, je n'ai pas évoqué la déception d'avoir *déjà* perdu le saladier. J'ai dit : « Nous avons gagné l'année dernière, cette fois nous avons perdu, l'Australie nous a éliminés, ce n'est pas grave. C'est la longue histoire de la France et de l'Australie qui continue de s'écrire, c'est un nouveau chapitre. Il y a deux jours, j'ai remis un petit cadeau à la marine australienne pour remercier les sauveteurs de Thierry Dubois*, naufragé du Vendée Globe Challenge, qui se trouve être un de mes copains. Vous venez de nous battre, on vous battra peut-être la prochaine fois, peut-être sauverons-nous un des vôtres quelque part... » Évidemment, je les ai touchés, comme j'ai sans doute touché Edberg après la finale. Mais ce n'est pas moi seul qui agis ainsi, c'est toute l'équipe.

Quand je prends Stefan sur mes épaules, geste gratuit et hautement symbolique, c'est sur une inspiration d'Hagel. On a beaucoup de boulot à faire sur le plan du jeu pur, mais au niveau de l'esprit, on est impeccables !

Nous sommes un groupe de gens généreux dans le cœur dont je suis fier de faire partie. S'ils osaient, les autres feraient ce que je fais. Guy Forget, s'il osait, il pourrait lui aussi porter Edberg sur ses épaules, il pourrait offrir sa veste à Rosewall* comme je l'ai fait. Mais il y a cette espèce de crainte d'avoir l'air déplacé qui nous retient tous, parce que ce n'est pas simple d'exprimer ses sentiments en public.

Certes, Ken Rosewall et John Newcombe* me sont plus proches, car si ces deux « monstres » n'avaient pas existé, ma carrière aurait été différente. Ils ont compté dans ma vie et j'ai voulu qu'ils le sachent. La seule fois où j'ai essayé de prendre une photo à la télé, c'était pour immortaliser la victoire de Newcombe à Wimbledon en 1970. La photo n'a jamais marqué la pellicule mais l'image de Newcombe avec sa coupe, elle, est restée gravée dans ma mémoire.

J'arrive à un moment de ma vie où je suis assez bien dans ma tête pour pouvoir dire aux gens que j'aime, que je les aime. Ça fait du bien.

Rosewall et Newcombe s'étaient posés en adversaires le temps d'un match de Coupe Davis, et j'ai voulu dépasser les limites du cadre, je leur ai dit : « Merci, messieurs, de ce que vous avez fait pour moi ! » Et j'ai donné ma veste à Rosewall qui est un homme assez petit, mais il l'a mise sur son costume, sa femme pleurait à chaudes larmes, tellement émue, tellement surprise. Un peu plus tard, Newcombe m'a filé sa veste en coulisses alors que la rencontre était pliée depuis des heures. On était les tenants du titre, soumis à la dure loi du sport, mais toujours humainement présents. Et voilà l'amour qui triomphe, le sport encore une fois vainqueur du train-train de la vie. Le quotidien qui déraille, qui s'envole, qui prend une autre dimension, juste pour quelques aveux lâchés, quelques gestes simples et justes. Il n'y a que ça que j'aime dans le sport.

La difficulté à trouver les réponses essentielles concernant notre bonheur provient souvent du fait que nous n'osons pas formuler les questions assez clairement. Dans cette série de trois questionnaires, je vous propose d'approfondir les choses, que vous soyez « enfant », « parent », ou « adulte impliqué dans la vie active ». Si vous ne faites partie d'aucune de ces catégories, je vous invite à essayer de dresser le même type de questionnaire dans le domaine qui vous correspond.

Quinze questions qu'un enfant
peut poser à ses parents

1. Savez-vous ce que le sport (ou toute autre activité) représente pour moi ?
2. Quoi, précisément ?
3. Êtes-vous heureux de me voir faire ce que je fais ?
4. Acceptez-vous de m'aider comme j'en ai besoin et pas seulement comme vous en avez envie ?
5. Êtes-vous prêt à m'aimer toujours, même si j'échoue ?
6. Préférez-vous me voir devenir prof du club et totalement heureux ou numéro 12 à l'ATP et pas terriblement bien dans ma peau ?
7. Êtes-vous en colère quand je perds et, si oui, qu'est-ce qui vous met le plus en colère ?
8. Me faites-vous confiance ? Et qu'est-ce qui dans mon comportement vous inspire ce sentiment ?
9. Pensez-vous que je pourrais faire mieux ?
10. Et comment ?
11. Ma passion vous apporte-t-elle plus de satisfaction ou plus d'ennui que si rien ne s'était encore déclaré ?
12. Quand j'étais petit (e), aviez-vous envie de me voir faire quelque chose de précis ?
13. Regrettez-vous que cela ne se soit pas passé comme vous l'espériez ?
14. Est-ce que vous aimeriez être à ma place ? Pourquoi ?
15. Croyez-vous qu'il existe une autre voie pour moi ? Et laquelle ?

Quinze clés que des parents peuvent utiliser pour aider leur enfant.

1. J'admets que mon enfant vit une aventure personnelle. *oui — non*
2. J'ai défini mon but. Mon but est que mon enfant s'épanouisse dans ce qu'*il* a choisi. *oui — non*
3. Je suis tout à fait d'accord avec la voie que mon enfant a choisie. *oui — non*
4. Mon unique baromètre est l'ensemble des réactions de mon enfant dans ce qu'il accomplit. *oui — non*
5. Mon baromètre ne tient pas compte de ce que fait le fils des voisins. *oui — non*
6. J'ai définitivement tiré un trait sur mes propres rêves. *oui — non*
7. Je cherche à faire vivre à mon propre enfant ce que je n'ai pas pu réaliser moi-même. *oui — non.*
8. J'accorde trop d'importance aux résultats immédiats au détriment du long terme. *oui — non.*
9. Je lui ai suffisamment rappelé que l'important n'est pas qu'il devienne un grand champion, mais un homme juste et équilibré. *oui — non*
10. Quand il rate, je lui montre suffisamment que ses résultats ne changent rien à l'amour que je lui porte. *oui — non*
11. Je lui parle assez. *oui — non*
12. Je l'écoute assez. *oui — non*
13. Je lui mets trop de responsabilités sur le dos. *oui — non*
14. Je sens qu'il est vraiment heureux dans ce qu'il accomplit. *oui — non*
15. Je suis tout à fait en harmonie avec la vie, donc prêt à aider mon enfant. *oui — non*

Quinze questions à se poser
AVANT d'aller au boulot

1. Pourquoi j'ai choisi ce métier ?
2. Qu'est-ce que j'attends de ce métier ?
3. Si je n'avais pas choisi ce métier, qu'est-ce que je serais aujourd'hui ?
4. Suis-je satisfait de la tournure qu'a prise ma carrière ?
5. Si je le pouvais, qu'est-ce que je changerais ?
6. Puis-je agir dans ce sens ? Et pourquoi ne le ferais-je pas ?
7. Est-ce que je suis au maximum de mes possibilités ? Et sinon qu'est-ce qui me retient ?
8. Quel est mon but dans ma vie professionnelle ?
9. Comment je me vois dans 3 ans, dans 10 ans, dans 20 ans ?
10. Quel est mon but dans ma vie privée ?
11. Ma vie professionnelle favorise-t-elle mon épanouissement dans ma vie privée ? Pourquoi ?
12. Mon entourage est-il satisfait de ma vie professionnelle ?
13. Comment puis-je améliorer concrètement ma vie professionnelle et cela dès à présent ?
14. Quelqu'un peut-il m'aider à résoudre mes difficultés dans ma vie professionnelle, si oui, qui ?
15. De qui dépend essentiellement l'amélioration que je souhaite ?

« Mon » yoga

> Je ne suis pas qualifié pour vous expliquer LE YOGA
>
> Mon intention est de vous guider dans vos premiers pas, et peut être de vous donner envie de perseverer dans ce mode vie que j'affectionne tant

Comme je vous l'ai raconté dans un des chapitres de ce livre, j'ai découvert le yoga assez tard. À l'origine, j'ai utilisé cette discipline pour améliorer mon jeu mais je me suis vite rendu compte qu'elle représentait bien plus qu'une série de postures et une technique de respiration. Je ne suis pas qualifié pour vous expliquer *tout* ce qu'il faut savoir sur le yoga, mais je souhaite vous faire partager *mon* yoga. Mon intention est de vous guider dans vos premiers pas, et peut-être vous donner envie de persévérer dans ce mode de vie que j'affectionne tant.

Le yoga me permet de faire la liaison entre mon corps et mon esprit (mental). Lorsque le corps est étiré, puis relâché, le mental se repose, les tensions disparaissent. De même, quand votre mental se repose, votre corps se détend. Je demeure persuadé que certaines de mes *célèbres* blessures n'étaient que le résultat de tensions mentales, de douleurs psychologiques.

Je suis donc un élève de cette discipline. J'étudie des concepts tels que : abstinence, non-violence, recherche de la vérité, rejet de l'avidité, contentement, postures, respiration, concentration, méditation, contemplation.

Je vous fais volontiers grâce d'un chapitre détaillé sur les chakras. Sachez simplement qu'il s'agit des centres d'énergie qui activent le corps humain et bien sûr le mental et que chaque posture active soit un chakra en particulier, soit simultanément tous les chakras (Saturne, Jupiter, Mars, Vénus, Mercure).

Le prana est l'énergie de base, spirituelle. Elle pénètre le corps par la respiration.

LES POSTURES

En fonction des aptitudes physiques de chacun, certaines postures peuvent se révéler difficiles à réaliser, voire même carrément impossible. Une fois de plus, je vous dirais que le but n'est pas de réussir à faire toutes les postures avant la semaine prochaine ou d'arrêter tout, mais au contraire, de ne vous fixer aucune limite dans le temps et de chercher simplement à vous améliorer à votre rythme. Que vous fassiez juste en sorte de vous mettre sur la bonne voie.

Ma démarche est de vous donner une base, ma base, et qu'ensuite vous puissiez puiser à d'autres sources d'autres postures, d'autres techniques. Que vous ayez envie de prendre des cours avec des spécialistes. Même si je ne cesse de m'améliorer, rassurez-vous, il y a encore des postures qui relèvent pour moi du domaine du rêve.

Tout d'abord, il est vital de se créer un espace. Un endroit où personne ne viendra vous déranger. Un espace qui n'appartiendra qu'à vous. « C'est mon endroit de paix... »

Au milieu de cette pièce, moi, j'ai posé un tapis. Confortable et clair, que je ne changerais pour rien au monde car il est chargé de toute l'énergie du yoga que je pratique depuis des années. Je m'habille de vêtements légers et suffisamment amples pour être libre dans mes mouvements.

La pièce est lumineuse.

En général, je m'efforce de garder les yeux fermés tout au long de la séance car c'est le meilleur moyen de se couper du reste du monde, et ainsi de se concentrer.

J'ai commencé par faire des séances d'une trentaine de minutes durant lesquelles je maintenais les postures trente à quarante secondes.

Après cinq années de pratique, mes séances quotidiennes (six jours par semaine) durent une heure. Je les fais en général le matin, avant mon petit « déj », car c'est le moment où je me sens le plus « prêt » pour la méditation. Je passe alors une journée beaucoup plus *spirituelle* que lorsque je ne prends pas le temps de pratiquer cette séance matinale.

Si je décide de faire une séance au milieu de la journée ou le soir, il m'est utile de prendre quelques minutes afin de me mettre en état, car il m'est encore impossible de passer sans transition directement de la vie active à l'état de calme intérieur indispensable à la qualité du travail des postures.

Je fais toujours cet enchaînement en douceur, à mon rythme, en m'aidant de quelques petits rituels qui me sont propres.

Je brûle de l'encens. J'allume une bougie...

La première partie de la séance est consacrée à l'échauffement. Elle comprend la relaxation complète et quelques autres postures.

1. La relaxation complète

Cette posture se pratique en début et en fin de séance *(relaxation finale)*. Lorsque certaines postures me semblent difficiles, j'utilise celle-ci en cours de séance comme posture de récupération.

En début de séance : je suis étendu sur le dos, les jambes légèrement écartées, les bras également. Paumes des mains vers le ciel. Le corps est relâché, les mâchoires décrispées, la langue est libre dans la bouche. Je porte non pas mon regard mais mon attention sur chaque partie de mon corps : pieds, mollets, genoux, cuisses, fesses, abdomen, buste, avant-bras, bras, mains, épaules, cou... Je me détends à chaque fois un peu plus.

Ensuite, j'utilise une affirmation telle que celle-ci : « Chaque jour, mon mental devient plus paisible », « Chaque jour, mon corps est plus sain », « Chaque jour, je suis plus heureux »... Je pense à cela tranquillement.

Ensuite, je pense à un endroit qui m'est cher, que j'adore et où je me sens particulièrement bien. Je m'en imprègne, j'en profite durant quelques précieuses minutes. Je me retrouve ainsi dans un état de conscience propice à mon éveil et cela, sans douleur, en douceur.

En milieu de séance, je recupérerai en relax complète jusqu'à ce que mon rythme cardiaque soit de nouveau complètement ralenti. Ainsi, je contrôlerai complètement ma respiration avant d'enchaîner sur une autre posture.

En fin de séance, je me relaxerai dans cette posture environ dix à quinze minutes en faisant le point sur ma journée à venir, sur mes objectifs puis je *partirai* dans

mon endroit favori, et ferai quelques vœux avant de
revenir.

2. Respiration

Je respire par le nez en fermant la gorge légèrement
afin d'entendre comme le son *ah* à l'inspiration, comme
à l'expiration. Ainsi, je m'écoute respirer de l'intérieur.
J'essaie de ralentir et de contrôler ma respiration tranquillement, sans à-coup, en posture de méditation.

3. Puis respiration par les narines

Le pouce de la main droite permettra de boucher la
narine droite, l'annulaire et l'auriculaire bouchant la
narine gauche. J'inspire par la narine gauche en bouchant
la droite pendant cinq secondes, je bouche les deux
narines dix secondes et j'expire dix secondes par la narine
droite. Puis j'inspire cinq secondes par la narine droite, je
bloque dix secondes et j'expire par la narine gauche. Ce
cycle s'appelera 5. 10. 10, et au bout d'un moment si l'on
s'en sent capable, on peut passer à un 5. 15. 10 ou 5. 20.
10, mais avec beaucoup de pratique.

Au début, je vous conseille de pratiquer le cycle : 5
secondes d'inspiration, 5 secondes de rétention et 10
secondes d'expiration. Vous pouvez faire cet exercice
n'importe quand dans la journée.

Voilà, je suis prêt à commencer ma séance.

4. L'hélico

Jambes écartées, dos plat. Faites des grands cercles avec les bras tendus. Vos poignets sont relâchés. On expire lorsque les bras sont en bas et on inspire lorsque les bras sont en haut.

5. Étirement vers le haut

Allongez les bras et le corps comme si vous vouliez toucher le ciel. Redressez la colonne vertébrale, puis relâchez. Cette posture vous permet d'ajuster vos vertèbres.

6. Balancements latéraux

Échauffez vos muscles autour de la taille.

7. Fauteuil à bascule

Ramenez les genoux sous la poitrine. Les mains tiennent les genoux tout en basculant d'avant en arrière en roulant sur la colonne vertébrale. Cet échauffement permet le massage et l'assouplissement de la colonne.

8. Le chat

Arrondissez votre dos en expirant, puis bloquez votre respiration, le menton rentré contre le cou. Puis vous inspirez en regardant vers le haut et en cambrant la colonne.

9. Le papillon

Plantes de pied l'une contre l'autre rassemblées avec les mains. Les talons si possible contre le corps. Avec les jambes, faites un mouvement de battements d'ailes. Étirez adducteurs, genoux, chevilles.

10. Posture facile

Asseyez-vous. Redressez correctement votre colonne vertébrale, et croisez vos jambes. C'est une bonne posture de méditation. En gardant vos yeux fermés, contrôler votre respiration.

Puis vous pouvez reprendre la respiration par les narines (voir plus haut, n° 3), assis en *posture facile*.

11 et 12. Étirements et renforcement des cuisses

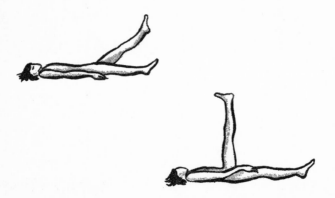

Soulevez lentement une jambe jusqu'à la verticale, maintenez-la tendue puis reposez-la et changer de jambe. Cinq fois de chaque côté. Cette posture tonifie jambes et abdominaux.

13. Salutation au soleil

a

b

a) Les pieds sont joints, les mains jointes sur la poitrine. Expirez.

b) Montez les bras. Cambrez votre dos. Inspirez.

c

d

c) Descendez doucement le buste, et posez vos mains de chaque côté des pieds, ou derrière les mollets. Les jambes restent tendues. Pieds joints.

d) Allongez la jambe droite vers l'arrière en inclinant la tête vers l'arrière. Regardez le ciel. Les mains restent au sol. Inspirez.

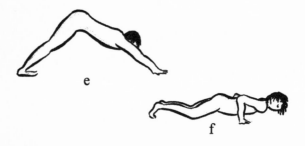

e

f

e) Les mains à plat sur le sol. Les hanches et les fesses montent vers le ciel. Talons au sol. Expirez.

f) Faites une pompe lentement et effleurez le sol avec votre poitrine.

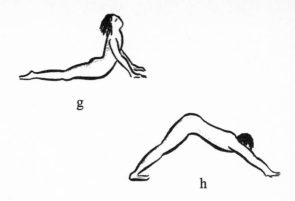

g

h

g) Les orteils sont allongés, les pieds posés au sol, et la tête tournée vers le ciel. Bloquez votre respiration, poumons pleins.

h) Les mains à plat sur le sol. Les hanches et les fesses montent vers le ciel. Talons au sol. Expirez.

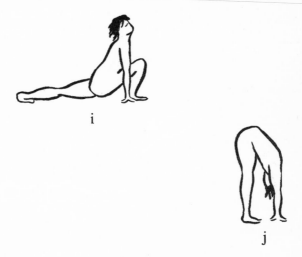

i

j

i) Pied droit en avant. La jambe gauche reste derrière, tendue. La tête en arrière regarde le ciel. Inspirez.

j) Remontez doucement. Les jambes sont tendues. Les mains restent de chaque côté des pieds. Expirez.

k   l

k) Inspirez.

l) Revenir doucement en expirant.

L'ensemble de ces douze postures fait travailler et assouplit tout le corps.

14. Posture sur la tête

Installez-vous au centre de votre pièce. Posez les mains au sol, les doigts entrecroisés. Coudes et mains forment un triangle. Posez la tête sur les mains et tendez les jambes jusqu'à ce que votre corps soit en position verticale. La nuque est droite (important). Soutenez votre corps sur les coudes et les avant-bras. Gardez la posture, puis prendre la posture de l'enfant le temps de récupérer, puis faire la *relaxation complète* (voir plus haut). Cette posture sur la tête augmente la circulation sanguine cérébrale, ce qui favorise la concentration.

15. La posture de l'enfant

Détendez les muscles du dos. Puis *relaxation complète* (voir plus haut).

16. Posture zen

Les moines zen utilisent cette posture pour méditer.

Asseyez-vous sur les talons. Tendez les bras vers le ciel, tout contre vos oreilles afin d'aligner votre colonne vertébrale. Puis posez les mains sur les cuisses. Les genoux sont joints. Si vous sentez des douleurs au niveau des genoux, ou des pieds, relâchez la posture et recommencez après quelques minutes.

Contrôlez toujours votre respiration.

Cette posture permet une meilleure irrigation des pieds, qui subissent le poids de tout votre corps. La posture inverse le sens de la pression sur les pieds, ce qui élimine la fatigue.

17. Rotation du cou

Répéter les rotations du cou quatre fois dans un sens puis quatre fois dans l'autre en respirant bien. La rotation du cou relâche les tensions de la nuque et des épaules.

18. Le héros

Assis sur les talons, écartez les pieds pour permettre aux fesses de toucher le sol. Cette posture étire les genoux et les pieds. Renforce les cuisses.

19. Le héros allongé

Assis sur les talons, écartez les pieds et posez les fesses sur le sol. Descendez doucement vers l'arrière en vous soutenant avec les mains, puis les coudes. Restez ainsi quelques secondes puis respirez et remontez doucement. Cette posture étire les genoux et les pieds, tonifie les cuisses.

20. Équilibre des épaules

Tendez les jambes vers le plafond et rentrez le menton. Soutenez votre dos avec les mains. Les coudes contre le sol. C'est la meilleure posture pour alimenter le cerveau et les poumons. Elle inverse le sens de la gravitation sur les organes.

21. La charrue

Allongé sur le dos, montez les jambes tendues et basculez vers l'arrière avec les orteils qui toucheront le sol.

Respirez. C'est la posture la plus efficace pour étirer et assouplir la colonne vertébrale.

22. Le pont

Soulevez le bas du dos avec les mains. Enchaîner cette posture en passant doucement de la charrue à l'équilibre sur les épaules jusqu'au pont. Le dos est cambré. Soufflez bien : cette posture assouplit la colonne.

23. La roue

Les pieds contre le sol. Levez les fesses, cambrez le dos. Posez les mains à plat sur le sol. Poussez le pubis vers le ciel, bras tendus. Respirez, cette posture renforce l'estomac, tonifie le dos et les jambes. Le sang descend à la tête, ce qui améliore la circulation sanguine cérébrale.

Tonifie la poitrine, le dos, les bras, la taille, les jambes, les genoux. Cette posture est difficile pour moi, et j'enchaîne souvent avec la *relaxation complète* (voir plus haut).

24. Torsion vertébrale

Amenez le talon de la jambe droite de l'autre côté de la jambe gauche au niveau du genou. Attrapez la cheville avec la main gauche, votre bras passant derrière la jambe droite. Tournez la tête du côté droit et regardez derrière vous. La main droite est posée à plat derrière vous.

Respirez. Changez de côté.

25. Étirement postérieur

Levez les bras vers le ciel. Les jambes sont allongées.

Rentrez le menton et descendez en attrapant vos pieds ou l'arrière de vos mollets. Gardez la posture en respirant bien par le nez. Relaxez-vous. C'est une bonne posture pour les tendons et pour la colonne vertébrale. Les cuisses, les ischio-jambiers, les mollets sont également bien étirés.

26. L'arc

À plat ventre, relevez les pieds et les genoux pliés. Attrapez vos pieds ou vos chevilles avec vos mains. Redressez la tête vers le ciel. Respirez. Tenez la posture. Relâchez. Recommencez trois fois. Cette posture tonifie l'ensemble du corps.

27. Posture sur le ventre

Sur le ventre, inspirez et levez les bras et les jambes tendus. Maintenez, et soufflez en reposant.

28. Le cobra

Allongé sur le ventre, les mains à plat, cambrez le dos et regardez vers le ciel. Tenez la posture et respirez. Cette posture renforce les muscles du dos et prévient aussi les déplacements vertébraux.

29. Le crocodile

Sur les pointes des orteils retournés, les mains au niveau des épaules, le dos plat, coudes collés contre le corps, respirez. Cette posture tonifie l'ensemble du corps. Elle est difficile et accélère l'ensemble de la circulation sanguine. Elle renforce bras, jambes et pieds.

Relaxation complète

30. Le héron

Debout, posez les mains écartées à plat sur le sol. Pliez les genoux et posez les coudes au niveau de l'intérieur du biceps. Basculez et tenez en équilibre. Renforce les muscles des bras et de la poitrine.

31. Le genou à la tête

Debout, inclinez le buste vers l'avant. Rentrez le menton et posez les mains sur le sol ou derrière les mollets. Soufflez et tenez la posture. Assouplit la colonne.

32. Le triangle

Debout, les jambes écartées, la pointe des pieds en direction du côté incliné. Descendre la main jusqu'au sol ou au niveau du mollet. L'autre bras est pointé vers le ciel. Ne pas se pencher en avant. Le dos est plat, respirez, tenez la posture et changez de côté. La posture assouplit les muscles de la taille et du dos. Renforce le dos, les épaules et les bras.

33. L'aigle

Bras droit autour du gauche. Les paumes des mains sont jointes. Jambe droite autour de la jambe gauche. Ramenez les poignets vers le visage. Respirez et maintenez la posture. Assouplit les hanches et les épaules. Aide à travailler la concentration tout comme le héron et la posture du sage (postures d'équilibre).

34. Étirement des quadriceps

Debout, prendre le cou-de-pied ou la cheville gauche avec la main gauche. Le pied au sol à plat et la jambe droite tendue. Le bras droit tendu vers le ciel. Étirez la cuisse. Respirez et maintenez la posture. Changez de jambe.

35. Posture du sage

Debout. Posez le pied sur la cuisse opposée, près de l'aine. La plante du pied tournée vers le haut. Les mains sont jointes. Respirez et maintenez-vous en équilibre. Cette posture vitalise le corps et l'esprit. Je l'utilise pour mes remerciements ou pour faire des vœux.

36. Étirement des épaules

Montez le bras droit au niveau de l'épaule et passez la main droite derrière le dos. Pliez le coude gauche et amenez la main gauche par le bas du dos afin de rattraper la main droite. Si vous n'y arrivez pas, vous pouvez utiliser une serviette.

37. Posture facile (ou la posture du lotus)

Cette posture permet l'intériorisation avant de passer à la posture de *relaxation complète* (voir plus haut).

Dans cette position, je fais soixante expirations abdominales. À la soixantaine, je fais une grosse inspiration et je bloque poumons pleins. Je tiens le plus longtemps possible et je souffle en me vidant complètement. Je m'accepte et je profite du calme autour de moi en gardant les yeux fermés.

38. Relaxation finale

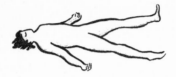

Détendez-vous après cette bonne séance. Utilisez à ce moment vos affirmations positives afin de développer vos réflexes et attitudes positives. Il est important de terminer chaque séance par cette posture.

J'en profite pour faire des vœux pour ceux que j'aime.

Pour finir, je vous entraînerai dans quelques-unes de mes pensées méditatives afin de vous montrer que cela n'a rien de très mystérieux. Vous pouvez, vous aussi, vous livrer à cet exercice si salutaire.

• Assis en posture méditative, placez un réveil près de vous. Portez votre attention sur l'œil *unique* (le point qui se situe juste au-dessus de votre arête nasale) et fermez les yeux. Maintenez votre attention sur le tic-tac du réveil en faisant abstraction de tout autre bruit, pensées, etc. Notez le temps durant lequel vous avez réussi à tenir votre mental concentré.

• Si vous êtes à l'extérieur. Assis en posture méditative, portez votre attention sur l'œil unique (le point qui se situe en haut de l'arête du nez, entre les sourcils), et fermez les yeux.

Écoutez l'un des sons qui vous entourent et restez concentré dessus exclusivement, en faisant abstraction de tous les autres bruits, pensées...

• Même « préparation », mais à présent, pensez à une fleur, une couleur, une odeur, et restez absorbé par elle...

• Même « préparation ». Table de multiplication par 3 : 3 fois 2, 3 fois 3, 3 fois 4... indéfiniment, jusqu'à ce que vous ayez un blocage. À ce moment, recommencez de zéro, tranquillement...

• Exercice du « Qui-suis-je ? » Même « préparation ». Demandez-vous : qui suis-je ? Que suis-je ? Où suis-je ? Comment suis-je ? etc.

Reprenez en boucle, répétez les mêmes réponses. Cette technique vous permettra d'atteindre une grande concentration et une vision très claire de votre nature profonde.

LE JEÛNE

Deux fois par an, je fais un jeûne qui me permet de me nettoyer intérieurement et qui éveille mes sens. C'est une période assez difficile où je dois faire preuve de ténacité et de volonté, mais qui se révèle toujours très bonne, à la fois pour mon corps et pour mon esprit.

Je termine cette période de quinze jours par une séance d'hydrothérapie et un nettoyage du côlon.

Voilà comment cela se passe pour moi, mais **je vous recommande surtout de ne pas vous lancer dans un jeûne de ce type sans un avis médical.**

D'abord trois jours durant, je n'absorbe que de l'eau minérale, accompagnée de trois capsules de spiruline quatre fois par jour, et des fibres intestinales pour faciliter le transit.

La spiruline est une algue facile à digérer contenant des vitamines, minéraux, acides aminés, enzymes, bref, tout ce qui permet de rester équilibré durant le jeûne.

Auparavant, il est préférable de prévenir son entourage et d'expliquer ce qui vous pousse à une telle expérience. Il est évidemment plus facile de faire un jeûne à plusieurs.

Ensuite, vous passez à une période de quatre jours, où vous n'absorbez que des jus de fruits frais et des jus de légumes frais (une centrifugeuse est recommandée).

Dans ces moments, on se rend compte à quel point manger (chose que l'on fait tous les jours sans trop réfléchir) est important. (Grande compassion pour tous les grévistes de la faim !) On prend conscience de l'importance de manger sainement car même si on perd vite du poids (on le reprend ensuite), on se sent à ce moment très, très bien. (Je dis que j'ai le turbo !)

Ensuite vous passez à sept jours de salade, légumes, fruits crus. Le tout sans sauce, hormis la sauce soja.

Faire de bons repas, c'est bien, mais faire de *beaux* repas, c'est encore mieux. Pour apprécier ce qu'on mange, il me paraît indispensable de mettre les aliments en valeur dans l'assiette, sur la table ou encore sur un plateau (ce que je fais le plus souvent quand je suis chez moi), et d'éviter de les napper de sauces épaisses.

Deuxième principe, on peut très bien se nourrir sans manger de viande de bœuf, veau, agneau, porc, etc. Personnellement je n'en mange pas ; en revanche je choisis des pâtes, des légumes (secs et frais) en quantité, des fruits (frais et secs), du bon pain, des céréales, du fromage, des œufs, du poisson et parfois de la volaille. Celui qui me fera manger une côte de bœuf n'est pas de ce monde !

Troisième principe, ne vous gavez pas. Sachez respecter et apprécier la chance de pouvoir manger de bonnes (et belles) choses en songeant qu'en nourrissant bien votre corps vous favorisez votre équilibre, donc votre bonheur. Bien nourri, votre corps saura s'exprimer, vous prévenir des dangers ou excès qui le menacent ; dans le cas contraire, la blessure surviendra sans qu'aucun signe avant-coureur ait pu vous alerter.

Quatrième principe, ne soyez pas obnubilé par le concept bien français de « repas chaud ». Si une bonne soupe l'hiver peut constituer l'essentiel d'un repas, qu'un plat gastronomique est souvent servi chaud, on peut aussi très bien manger en confectionnant des repas autour d'une salade croquante arrosé d'un filet d'huile d'olive, de dips (légumes crus : carottes, céleris, concombre, etc. coupés en tronçons — ou en bouquets : choux-fleurs — à tremper dans du fromage blanc aux herbes), du fromage, du pain et un fruit et des biscuits aux céréales.

Voici quelques-uns de mes plateaux préférés, une vingtaine, qui prouvent qu'on peut manger équilibré et très agréablement sans trop se casser la tête ! Si vous n'avez pas, d'instinct, la notion de ce qui peut composer un menu équilibré, je ne saurais trop vous conseiller de creuser la question, soit en consultant un nutritionniste, soit en étudiant les principes de bases dans un bouquin de références. Équipez-vous d'une table de calories, ne serait-ce que parce qu'elle comporte une liste complète d'aliments.

Surtout, gardez toujours votre mixer ou votre centrifugeuse à portée de main pour les jus de fruits et les soupes. Et ne négligez pas le petit déjeuner. Mais depuis le temps qu'on nous le recommande, je pense que personne ne songerait plus à partir le matin sans avoir absorbé un thé ou du café, et (au moins) un jus de fruits frais, deux tranches de pain complet, avec du beurre et de la confiture.

Plateau n° 1

Une **salade de lentilles blondes** (cuisson 30 minutes) et de **riz sauvage** (20 minutes) à l'huile de noisette.
Une **assiette de pétoncles** revenues à la poêle brièvement (3 ou 4 minutes) dans un tout petit peu de matière grasse avec (un peu) d'ail et de persil.
Un **petit chèvre sec.**
Du **pain aux six céréales.**
Une **banane.** Un grand verre de **jus de pomme** frais.

Plateau n° 2

Une **salade de mâche, jeunes endives et pignons.**
Filets de poulet cuits à la vapeur (20 minutes) accompagnés d'une **sauce crème-yaourts**-filet de citron-persil-sel-poivre.
Une **assiette de boulghour pilaf.** (Faire revenir des oignons dans un petit peu de matière grasse, puis le boulghour sur feu vif, salez, poivrez, ajoutez une tomate épluchée, épépinée et concassée, arrosez d'une quantité d'eau équivalente au double du volume de boulghour.) **Eau** plate. **Jus d'orange.** Une **mangue.** Des **dattes** et des **figues sèches.**

Plateau n° 3

Salade d'avocat et pamplemousse (juste la chair du fruit) arrosé d'un filet d'huile de pépins de raisin.

Un plat de **pâtes papillons aux fèves fraîches** (ou surgelées). Faites cuire les fèves, les écosser. (C'est très ennuyeux mais ça vaut la peine. Faites cuire les pâtes dix minutes. Pendant ce temps, pelez, épépinez, concassez des tomates, ajoutez-y de l'ail en purée et du basilic, faites revenir rapidement. Quand les pâtes sont prêtes, mettez-y les tomates, les fèves, etc.) Un coup de **rosé**.

Fromage. Pain d'épices.

Plateau n° 4

Salade de haricots verts extra-fins frais à peine cuits (arrosée d'un filet d'huile de noix).

Lotte à la vapeur (rouler au préalable les morceaux de lotte dans un mélange de citron, sel et poivre) servie avec du **riz** et une petite **fricassée de champignons de Paris.**

Fromage blanc et **fruits rouges. Eau plate. Jus de carottes. Brownies.**

Plateau n° 5

Caviar d'aubergine. (Faire mollir l'aubergine au four pendant un bon moment, enlever la chair, la mélanger avec un peu d'huile d'olive, du citron, des graines de sésame, sel, poivre.) À étaler sur du **pain grillé.**

Polenta (cuire comme indiqué sur le paquet) arrosé d'un **coulis de tomates fraîches** (ajouter ail, persil, et oignons fondus).

Cœur de laitue.

Fromage frais sur **pain aux noix et raisins.** Un verre de **rouge.**

Dattes et **ananas frais.**

Plateau n° 6

Asperges sauce mousseline. (Faire une mayonnaise avec le jaune. Monter le blanc en neige, mélanger le tout délicatement, ajouter de la ciboulette.)

Filet de saumon servi avec des **épinards frais à la crème** et quelques **petits pois frais. Eau** plate. **Jus de raisin. Pommes au four.**

Plateau n° 7

Salade de champignons de Paris crus nappé d'une **sauce yaourt**.
Haricots cocos à l'espagnole. (Faire revenir les haricots dans un peu de matière grasse, ajouter de l'ail, un bouquet garni et des tomates très mûres coupées en quartiers) couvrez et laissez cuire à feu très doux pendant longtemps.)
À servir avec des **haricots blancs** à cuire comme indiqué sur le paquet. **Eau** plate. **Jus de lichis** en apéro.
Salade de fruits frais.

Plateau n° 8

Melon.
Spaghettis servis avec une **sauce de tomates crues** (tomates épépinées, concassées, ail, basilic frais, beurre).
Fromage blanc et **crème de marron**.
Salade d'oranges. Un verre de **rosé**.

Plateau n° 9

Carpaccio de coquilles saint-jacques. (Les mettre au congélateur un quart d'heure, les trancher finement, assaisonner d'huile d'olive et de poivre rose.) **Salade verte**.
Vraie **purée de pommes de terre** et assiette de **légumes verts** (brocolis, haricots mange-tout, petits pois).
Fromage de brebis. Coup de **blanc**.

Plateau n° 10

Poireaux vinaigrette.
Filets de sole (légèrement farinés, revenus dans un peu de matière grasse). **Pommes de terre à la vapeur** avec un peu de beurre à faire fondre dessus.
Petits-suisses avec du **sucre** et une **banane** écrasée.
Eau plate. **Jus d'orange et citron** mélangés.

Plateau n° 11

Tarte à la polenta et à la mozzarella. Faire cuire la polenta comme indiqué sur le paquet. Beurrer un plat à tarte. Le garnir de la polenta. Disposer dessus des tranches de tomates, de la mozzarella et des herbes. Passez au four quelques minutes.)
Salade verte.
Fruits. Eau plate ou **lait.**

Plateau n° 12

Salade de lentilles au haddock.
Fondue de choux de Milan.
Plateau de **fromages.**
Mousse au chocolat. Eau plate. Vrai **jus d'ananas.**

Plateau n° 13

Petites **entrées libanaises** (taboulé aux herbes, purée de pois chiches, etc.).
Gambas grillées.
Salade mélangée.
Crumble. Coup de **blanc.**

Plateau n° 14

Antipasti (cœurs d'artichaut, tomates et mozzarella, poivrons marinés). (Mettre les poivrons — jaunes ou rouges, pas verts — au four pendant une quarantaine de minutes, les entourer d'une feuille de journal à la sortie du four, les laisser refroidir, la peau s'enlèvera facilement. Ensuite les faire mariner dans de l'huile d'olive avec des herbes.)
Rizotto aux trois fromages. (Faire revenir du riz rond dans un peu de matière grasse et d'oignons, ajouter deux fois son volume d'eau et un bouillon cube à la volaille. Quand le liquide est absorbé, ajouter du gruyère râpé — deux sortes — du parmesan, et un peu de beurre. Puis laissez reposer hors du feu cinq minutes.)
Un verre de **rosé.** Une **pomme.**

Plateau n° 15

Soupe de légumes (courgettes, carottes, tomates, céleri, navets).
Gratin de potiron. (Faire cuire le potiron et quelques pommes de

terre ensemble vingt-cinq minutes. Écraser le tout, mélanger avec un petit-suisse et du gruyère râpé, passez au four.)
Salade de pissenlits aux **œufs durs.**
Riz au lait et au caramel. Jus de **mangue.**

Plateau n° 16

Ravioles de Royan à la crème de ciboulette et curry.
Ratatouille. (Faire cuire d'abord les aubergines avec de l'ail et un bouquet garni, puis de quart d'heure en quart d'heure ajouter les poivrons, puis les courgettes, puis les tomates. Cuire le tout à feu doux et une demi-heure après avoir mis les tomates, c'est prêt.)
Un **yaourt nature.**
Du **raisin.**

Plateau n° 17

Tomates farcies. (Mélanger du chèvre frais avec des herbes dont pas mal de persil et basilic. Arroser d'un peu de beurre et mettre une bonne heure à four doux.)
Riz brun nature.
Salade d'endives et roquefort.
Poires.

Plateau n° 18

Minestrone (voir la recette dans un livre spécialisé).
Tourte au champignons (Faire un fond de tarte à la farine complète, faire revenir des champignons des bois, les mélanger avec quatre œufs battus en omelette de la crème et du gruyère. Mettre l'« appareil » dans le fond de tarte. Cuire au four pas trop chaud une bonne demi-heure.)
Salade d'endives. Un verre de **bourgogne.**
Pruneaux.

Plateau n° 19

Carottes râpées.
Deux œufs pochés sur un lit d'**épinards** et **d'oseille à la crème.**
Une assiette de **riz blanc** nature.
Amandes, noisettes, prunes.
Un grand verre de **lait.**

Plateau n° 20

Une **salade de mâche** avec des **girolles** revenues à la poêle, puis refroidies.

Une **tranche de cabillaud** pochée.

Une **purée de pommes de terre** à l'huile d'olive et jus de truffe.

Fromage.

Île flottante. Eau plate.

10 février 1997. Je rentre tout juste d'Australie où nous venons, mes camarades de l'équipe de France et moi-même, de perdre au premier tour de la Coupe Davis 1997. On n'aura pas droit aux Champs-Élysées cette année ! Le bouquin est terminé. Je viens de choisir les dernières photos, de relire les dernières épreuves. Elyjah marche. Elle a fait ses premiers pas à l'aéroport de Sydney. Je trouve ça d'un chic ! Je sillonne Paris à moto. Ça sent bon le printemps. Et il me vient d'autres idées, d'autres souvenirs, d'autres questions. Il faudrait que je m'arrête, que je trouve un bloc, un stylo. Que je m'installe un moment à la terrasse de ce café. Juste le temps de regarder la vie ordinaire et touchante.

RAPPEL DU PALMARÈS

Yannick Noah est né en 1960 à Sedan. Il a remporté Roland-Garros en 1983 et en tant que capitaine de l'équipe de France, la Coupe Davis en 1991 et 1996. Il a été numéro 3 mondial en juillet 1986, a remporté 24 titres dans sa carrière en simple et 16 en double dont Roland-Garros en 1984 avec Henri Leconte.

Personnalités citées

ABOVILLE, Gérard d'. Il a traversé l'Atlantique à la rame. Guy DELAGE l'a fait à la nage. Leur exploit, très médiatisé, a fait l'objet d'importantes controverses.

AGASSI, André. Champion de tennis (3 titres en Grand Chelem) et vedette internationale.

ARIAS, Jimmy. Petit prodige du tennis américain au début des années 80, il s'est révélé juste avant Agassi mais n'a jamais pu aller aussi loin que son compatriote.

ASHE, Arthur. Vainqueur de Wimbledon (1975), l'US Open (1968) et l'Australian Open (1970), il fut le premier Noir américain à s'imposer au plus haut niveau dans le tennis. Capitaine (victorieux) de l'équipe américaine de Coupe Davis, Ashe a mené bien d'autres combats : en luttant contre le racisme, la misère, l'apartheid en Afrique du Sud, et la maladie. Opéré deux fois du cœur, l'homme qui a fait bouger l'Amérique par ses prises de position politiques en faveur de la lutte antiraciale a contracté le virus du sida lors d'une transfusion. Il est mort en février 1993 à l'âge de cinquante ans, laissant une petite fille à qui il a dédié son dernier livre : *Days of Grace*. Les hommages et titres honorifiques rendus à Arthur Ashe à titre posthume sont innombrables. Sa fondation en faveur de la lutte contre le sida ne cesse de se développer à travers le monde.

BAGGIO, Roberto. Célébrissime footballeur italien, finaliste de la Coupe du monde 1994.

BAILEY, Donovan. Le Canadien est champion olympique du 100 mètres à Atlanta.

BARKLEY, Charles. Membre de la Dream Team américaine de basket.

BECKER, Boris. Star allemande, plus jeune champion de l'histoire de Wimbledon, 6 titres en Grand Chelem.

BEUST, Patrice. Ancien très bon joueur français, célèbre en Coupe Davis dans son fameux tandem avec Daniel Contet, il fut mon entraîneur à Nice. Lui et sa famille sont toujours très proches de la mienne.

BOETSCH, Arnaud. Vainqueur de la Coupe Davis en 1996. Il a été numéro 12 mondial.

BORG, Björn. 6 fois champion de Roland-Garros, le Suédois a remporté 5 Wimbledon de suite (1977/1981). Sa reconversion chaotique est symbolique. Elle prouve qu'être un immense champion ne garantit pas le bonheur à perpétuité.

BURELL, Leroy, Mike MARSH et Floyd HEARD sont des athlètes américains proches de Carl Lewis.

CANDELORO, Philippe. Médaille de bronze en 1994 aux jeux Olympiques.

CANTONA, Eric. Footballeur professionnel. Champion d'Angleterre et vainqueur de la Cup. Exclu de l'équipe de France.

CESAR, Paolo. Footballeur brésilien.

CHANG, Michael. Finaliste à Roland-Garros en 1989, il n'a cessé de progresser jusqu'à la deuxième place du classement ATP.

CHATRIER, Philippe. Président des Fédérations française et internationale de tennis durant de nombreuses années, il a contribué à l'exceptionnelle expansion du tennis à travers le monde.

CHRISTIE, Lindford. Champion olympique du 100 mètres à Barcelone.

CLÉMENT, Robert. Le « papa » de tous les pensionnaires du lycée du Parc-impérial.

COBOS, José. Footballeur à l'Espagnol de Barcelone.

CONNORS, Jimmy. Vainqueur de 8 tournois du Grand Chelem. Il est resté 268 semaines numéro 1 mondial (!) soit deux semaines de moins qu'Ivan Lendl.

COURIER, Jim. Il a été numéro 1 mondial pendant cinquante-huit semaines. Vainqueur de quatre titres en Grand Chelem.

DELL, Donald. Ancien joueur américain des années 60, c'est lui qui a fondé Proserv, société de management internationale. Son bureau européen étant désormais basé à Londres, je suis passé chez IMG, son concurrent, mais je garde une profonde amitié pour Donald et tous les gens de Proserv.

DJORKAEFF, Youri. Avant-centre du PSG en 1996, membre de l'équipe de France, il évolue à l'Inter Milan.

DOUILLET, David. Champion du monde et champion olympique de judo chez les lourds.

DRUT, Guy. Ministre des Sports. Champion olympique du 110 mètres haies à Montréal en 1976. Un « ami » peu attentif.

DUBOIS, Thierry. Le skipper naufragé du Vendée Globe Challenge a été repêché par la marine australienne. J'ai été le parrain du premier bateau qui a porté le nom d'*Amnesty International*, c'est ainsi qu'on est devenus copains.

DURAND, Pierre. Médaillé olympique en 1988 avec le célèbre Jappeloup.

EDBERG, Stefan. Champion de tennis suédois auteur de six succès en Grand Chelem.

ENQUIST, Thomas. Joueur de tennis suédois classé parmi les dix premiers mondiaux.

ERICA. Américaine, excentrique et volontaire, elle fut ma compagne pendant plusieurs mois. Elle m'a apporté beaucoup d'énergie.

FALDO, Nick. Golfeur professionnel.

FITZGERALD, John. Joueur de tennis australien. Il a remporté six tournois dans sa carrière.

FORGET, Guy. Vainqueur de la Coupe Davis en 1991 et en 1996. Il a été numéro 4 mondial en simple et numéro 1 en double.

FRAZIER, Joe et Joe FOREMAN sont deux figures mythiques de la boxe chez les lourds.

GERULAITIS, Vitas. Numéro 3 mondial en 1978, cet Américain d'origine lituanienne a incarné l'art de vivre des joueurs de tennis des années 70. Il est décédé accidentellement le 17 septembre 1994 à l'âge de 40 ans après avoir inhalé un gaz toxique. Le monde du tennis le pleure encore.

GINOLA, David. Footballeur professionnel.

GIRARD, Patricia. Athlète française, médaillée de bronze aux jeux Olympiques d'Atlanta sur 100 mètres haies.

GOVEN, Georges. Grand espoir du tennis français, il a fait carrière dans la finance avant de devenir entraîneur à la Fédération. Il a assuré le poste de capitaine de l'équipe de France après mon départ en 1992, puis s'est consacré à la formation des jeunes.

GRAF, Steffi. L'Allemande est la joueuse la plus titrée de l'histoire du tennis moderne. Une des plus sympas aussi. J'aime beaucoup

Steffi et j'ai beaucoup d'admiration pour la manière dont elle mène ses combats, aussi bien dans la vie que sur le court.

HAGELAUER, Patrice (souvent surnommé : Hagel). C'est avec lui que j'ai gagné Roland-Garros. Il existe entre nous des liens indestructibles.

HALARD, Julie. Joueuse de tennis française de très grand talent. Elle est à l'origine de ma participation dans l'équipe de France féminine de tennis.

HINGIS, Martina. Gagnante des championnats d'Australie 1997, future grande championne de tennis.

IVANISEVIC, Goran. Joueur de tennis croate.

JACKSON, Phil. Entraîneur des Chicago Bulls, la meilleure équipe de basket du monde.

KERMADEC, Gil de. Directeur technique national dans les années 70, il est réalisateur de nombreux films de qualité sur le tennis dont *La Légende du tennis*.

KILLY, Jean-Claude. Le skieur français est l'inoubliable triple champion olympique en descente aux jeux Olympiques de Grenoble.

KULTI, Nicklas. Joueur de tennis suédois.

LACOSTE, René. Un des célèbres Mousquetaires, vainqueur à plusieurs reprises à Wimbledon, l'US Open, Roland-Garros et en Coupe Davis. Un homme de génie.

LEBÈGUE, Pierre. Il fut mon premier grand copain en France. On s'est perdu de vue un moment mais on communique de temps en temps. Par caisse de grands crus interposées.

LECONTE, Henri. Finaliste à Roland-Garros en 1985, vainqueur de la Coupe Davis en 1991. Il a été numéro 5 mondial.

LES « BARJOTS ». L'équipe de handball française championne du monde en 1995. Ils ont apporté à la France le premier titre mondial en sports Co.

LEWIS, Carl. Véritable légende de l'olympisme. A participé à quatre olympiades et raflé 9 médailles d'or.

MANDELA, Nelson. Président d'Afrique du Sud. Mon idole.

McENROE, John. Un des joueurs de tennis les plus titrés de l'histoire du jeu (sept titres en Grand Chelem), connu autant pour son talent que pour ses colères.

MITCHELL, Dennis. Champion américain d'athlétisme. Sprinteur, il a fait parti du relais américain.

NEWCOMBE, John. L'Australien est l'ancêtre des numéros 1 du classement ATP puisqu'il y figura en premier le 3 juin 1974, date de création de ce fameux classement. Auteur de cinq succès en Grand Chelem, je le revois encore battre Rosewall en finale de Wimbledon. Il est le capitaine de l'équipe de Coupe Davis qui nous a battus début 1997.

ORANTÈS, Manuel. Champion de tennis espagnol des années 70.

PECCI, Victor-Emmanuel. Finaliste à Roland-Garros en 1979, il était un véritable sex-symbole en France, notamment. On a vécu un moment épique en 1985 lors d'un Paraguay-France de folie en Coupe Davis.

PEREC, Marie-José. Championne du monde et double championne olympique du 400 mètres, championne olympique du 200 mètres.

PICKARD, Tony. Very british entraîneur de Stefan Edberg pratiquement toute la durée de la carrière du champion suédois.

PIERCE, Mary. Joueuse franco-américaine, championne d'Australie en 1995.

PIOLINE, Cédric. Finaliste à L'US Open en 1993 et vainqueur de la Coupe Davis en 1996. Il a été numéro 9 mondial.

PLATINI, Michel. Immense footballeur. Organisateur de la Coupe du monde 1998.

POPOV, Alexandre. Nageur russe, médaillé d'or aux jeux Olympiques de Barcelone et d'Atlanta.

PORTES, Pascal. Avec Gilles Moretton et Pascal, nous avons formé ce que la presse a appelé les « Nouveaux Mousquetaires ». Ils sont devenus hommes d'affaires.

RAI (Rai Souza Veira de OLIVEIRA). Footballeur brésilien, vainqueur de la Coupe du monde en 1994.

RAOUX, Guillaume. Vainqueur de la Coupe Davis en 1996.

RESTOUX, Marie-Claire. Championne olympique de judo à Atlanta.

ROSEWALL, Ken. L'Australien, appelé « le petit maître de Sydney » a remporté 4 titres en Grand Chelem. Sa finale (perdue) contre New-combe à Wimbledon en 1970 est restée gravée dans ma mémoire.

RODMAN, Dennis. Basketteur original.

SAMPRAS, Pete. Auteur de neuf titres en Grand Chelem (seul Roland-Garros manque à son palmarès), cet Américain d'origine grecque pourrait bien terminer sa carrière avec le label « joueur du siècle ». Son immense talent s'articule autour d'une technique et d'un mental exceptionnel. Longtemps considéré comme un champion sans charisme, il a forcé le respect en remportant plusieurs combats héroïques.

Seles, Monica. Yougoslave d'origine, citoyenne américaine, cette joueuse a remporté 9 titres en tournois du Grand Chelem.

Senna, Ayrton. Pilote automobile, mort en pleine gloire en 1994. Il était le symbole de l'espérance du peuple brésilien.

Smid, Tomas. Joueur tchèque réputé pour son assiduité sur le circuit. Il a disputé la Coupe Davis avec Lendl et plus tard, entraîné Boris Becker.

Smith, John. Entraîneur d'athlétisme californien. Sans lui, Marie-José Perec ne serait sans doute jamais allée au bout de ses possibilités.

Tauziat, Nathalie. Excellente joueuse française, elle a apporté beaucoup au tennis féminin français, notamment l'audace de créer un système entièrement indépendant de la Fédération.

Volkov, Alexandre. Joueur de tennis russe. Des faux airs d'Henri Leconte, gaucher, « fantasque », très doué, il a été dans les quinze premiers mondiaux.

Wilander, Mats. Mon adversaire de la finale de 1983 à Roland-Garros. Le Suédois a été numéro un mondial et a remporté 7 titres en Grand Chelem. Absent du circuit pendant deux ans, il y est revenu, « pour s'amuser ».

L'Athlète intérieur. Malheureusement, cette appellation n'est pas de moi. Elle est de Dan Millman, un ancien gymnaste américain devenu écrivain. Derrière ces deux mots si simples se cache toute sa philosophie de la vie. L'athlète intérieur est quelqu'un qui se sert de son activité comme d'une expérience de vie enrichissante au-delà de la notion de succès ou d'échec. Il utilise le sport pour apprendre à mieux se connaître et développer certaines de ses qualités : son sens de la discipline, son courage, son désir d'authenticité... Il a pour principe de ne pas sacrifier son bonheur à son activité sociale, mais d'utiliser son activité sociale pour construire son bonheur. Honnête envers lui-même, il ne triche pas avec les autres. Il n'a qu'un but dans la vie : aller au bout de son potentiel. C'est-à-dire souvent au-delà de ce dont il s'estimait capable avant d'entreprendre son activité.

Ma bibliographie

Bovay Michel, *Zen*, Albin Michel, Paris, 1993.

Coelho Paolo, *L'Alchimiste*, A. Carrière, Paris, 1991.

Coelho Paolo, *Le Pèlerin de Compostelle*, A. Carrière, Paris, 1996.

Delcour Bertrand, *Zen*, Baleine, 1996.

Gibran Khalil, *Le Prophète*, Albin Michel, Paris, 1996.

Hesse Hermann, *Siddharta*, Grasset, Paris, 1988.

Hesse Hermann, *Le Voyage en Orient*, Calmann Lévy, Paris, 1991.

Jackson Phil, *Sacred Hoops*.

Kriyananda Goswami, *La Science spirituelle du Kria Yoga*, Amrita, 1987.

Millman Dan, *Le Guerrier pacifique* (1989) ; *Le Voyage sacré du Guerrier pacifique* (1991) ; *La Voie du Guerrier pacifique* (1994) ; *L'Athlète intérieur* (à paraître, 1997), Vivez Soleil.

Peck Scott, *Le Chemin le moins fréquenté*, Laffont, Paris, 1987.

Saint Exupéry, *Le Petit Prince*, Gallimard, Paris, 1989.

Yogananda Paramahansa, *L'Autobiographie d'un yogi*, Adyar, 1989.

Remerciements

Les auteurs remercient tous ceux qui ont contribué à la réalisation de ce livre :

Stéphane Cabaret, Christophe Cheung, CharlElie Couture, Isabelle Dengerma, Michel Grach, Patrice Hagelauer, Daniel Herrero, Catherine Malecki, Isabelle Noah, Marie-Claire Noah.

TABLE

Crédits photographiques : Sport-Vision, Gamma, Sipa, Orop, Pix, Sports Illustrated, Baggio, D. Bailey, L. Christie, M.-J. Pérec, D. Douillet, Paysage, Renaudin/G. Miller, D. Issermann. D.R.

Cet ouvrage a été composé par
Nord-Compo *(59650 Villeneuve-d'Ascq)*
et imprimé par la Société Nouvelle Firmin-Didot
Mesnil-sur-l'Estrée
en février 1998

Imprimé en France
Dépôt légal : avril 1997
N° d'édition : 12806 - N° d'impression : 41716